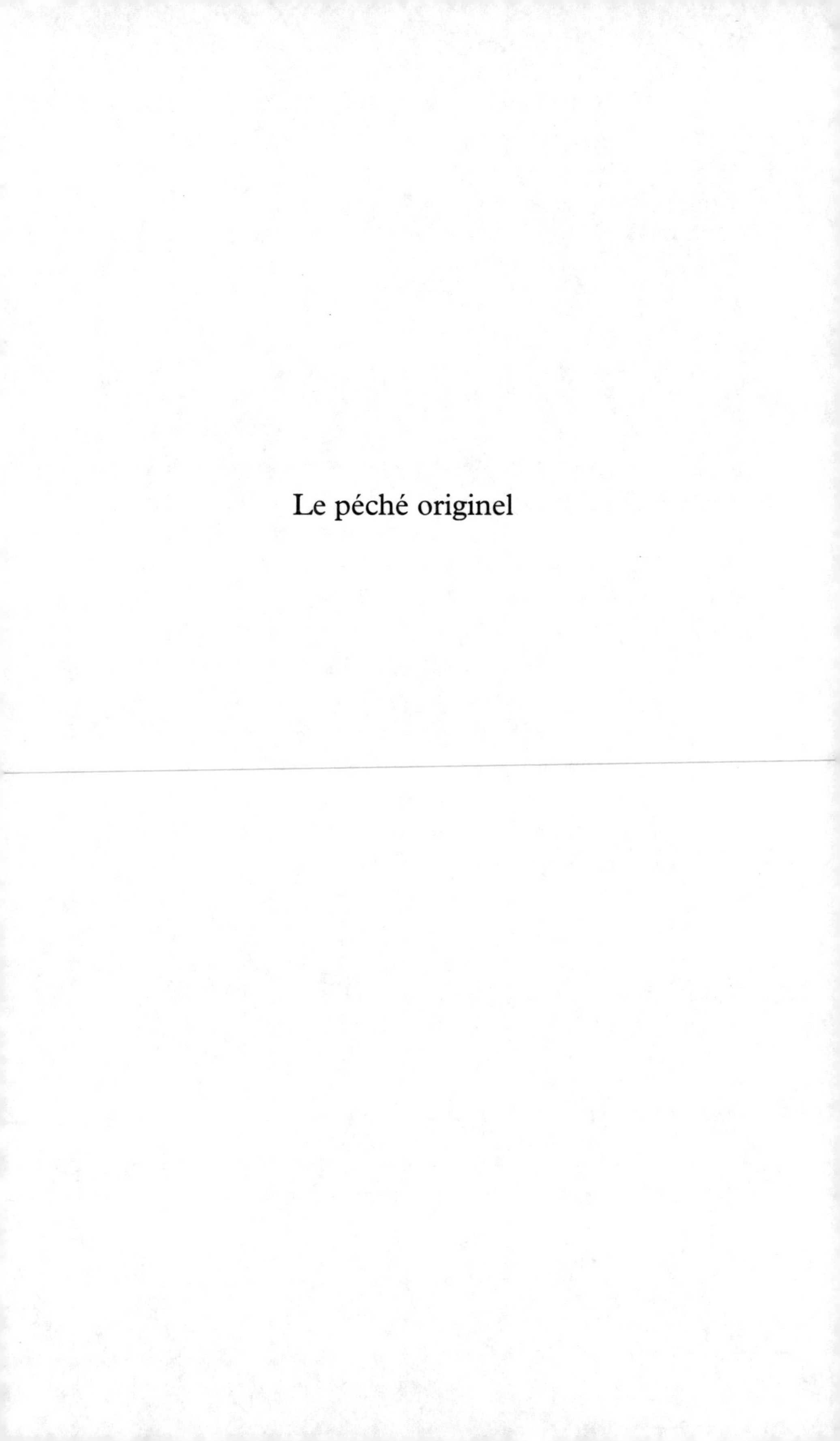

Le péché originel

LOUIS PANIER

Le péché originel

Naissance de l'homme sauvé

Théologies

LES ÉDITIONS DU CERF
PARIS

1996

DU MÊME AUTEUR

La Naissance du Fils de Dieu, Éd. du Cerf, 1971.

Récits et commentaires de la tentation de Jésus au désert, Éd. du Cerf, 1984.

Le Temps de la lecture : exégèse biblique et sémiotique, hommage à Jean Delorme, Éd. du Cerf, 1993.

« Sémiotique. Une pratique de lecture et d'analyse du texte biblique », *Cahiers Évangile* 59.

(29, boulevard Latour-Maubourg
75340 Paris Cedex 07)

ISBN 2-204-05396-1
ISSN 0761-4330

Introduction

UN PÉCHÉ PROBLÉMATIQUE

Que veut-on dire et que dit-on lorsqu'on tient, en théologie, un discours sur le péché originel ? Sait-on bien de quoi l'on parle et peut-on, sous le discours et la doctrine, cerner un « objet de connaissance », et lequel ? Peut-on saisir, en ce discours, ce que parler veut dire ?

Notion dans un discours ou réalité constitutive de l'humanité, le péché originel est aujourd'hui problématique, objet d'un doute qui fera qu'on l'occulte – avec un peu de mauvaise conscience – dans une présentation du christianisme qui se veut « moderne », parce que l'on craint toujours, en subordonnant le salut en Jésus-Christ à un péché d'origine qu'il faudrait réparer, de fomenter une religion fondée sur la peur.

Mais peut-on (et faut-il) effacer ce « trou noir » dans la construction systématique (dogmatique) d'une théologie chrétienne fondée sur la bonne nouvelle du salut ? Un défaut de dogmatisme ne risque-t-il pas d'entraîner un excès de moralisme ? Le péché originel est en effet un « trou noir » où la réalité du salut semble être absorbée, une obscurité plus ou moins mythique qui fait ombrage à la raison théologique, l'ombre des forces profondes qui agissent le sujet humain appelé à la liberté en Jésus-Christ...

On aimerait s'en passer dans la présentation du message chrétien, mais cet élément de la tradition revient, un peu lancinant, sauf à être définitivement classé dans une archéologie des croyances et confiné dans un temps d'obscurantisme (« nous avons changé tout cela... ») dont on pourrait même désigner le coupable : saint Augustin est le malheureux inventeur du péché originel...

Une tradition à lire.

La tradition est lancinante, elle ne cesse de revenir, en dehors parfois du champ chrétien; on aimerait la classer, mais que dit-elle au juste, et de quoi parle-t-elle? Et comment l'évaluer?

On peut bien dire que cette doctrine est inadaptée à la culture moderne qui par bien des côtés, nous le verrons, la met au défi; mais selon quel critère peut-on mesurer cette inadaptation? Cette doctrine est-elle inexacte, parce qu'inadaptée à son objet? Mais sait-on bien quel est son «objet»? Est-elle inadaptée parce qu'elle rend inacceptable (incroyable) aujourd'hui le message chrétien – mais le christianisme n'est-il qu'un message, et sa vérité se mesure-t-elle à son acceptabilité? Est-elle inadaptée parce qu'elle porte une vérité à laquelle nous résistons tous et qu'il nous faut laisser venir à travers ce discours rébarbatif?

La question est importante, elle touche à la possibilité même de lire et d'interpréter une tradition. On peut classer ces documents d'archives du christianisme, expliquer le pourquoi et le comment de la construction augustinienne ou de la déclaration du concile de Trente. Mais si ces textes sont dans la tradition chrétienne, ce n'est pas pour nous parler de leur propre histoire, c'est pour parler, en vérité, de... ce qu'ils disent, et que nous ne savons pas sans les lire. Et cela d'autant plus que, s'agissant du péché originel, ces discours concernent ce qui, originaire, nous précède toujours (l'origine de l'humanité commune, ou l'origine de notre humanité singulière) et oppose nécessairement une limite à la réalité connaissable, dicible, maîtrisable. Voilà une doctrine qui s'attaque, «avec les moyens du bord», à ce qui constitutivement échappe toujours... Rien d'étonnant à ce qu'elle paraisse inadaptée ou peu crédible au regard de la raison. Rien d'étonnant à ce qu'elle signe à chaque fois la prétention rationnelle de la théologie, et son échec.

La tradition théologique du péché originel nous est présente par un ensemble de textes; il faut y faire retour, non pour s'y confondre en la prenant pour terre de certitude, mais... pour la lire, c'est-à-dire pour la conduire et l'accompagner jusqu'à la limite de son discours, là où elle achoppe sur ce dont il s'agit et là où le lecteur lui-même achoppe parce qu'il touche au point où il est question de son humanité, en deçà (au-delà, autrement) de ce que les discours reçus lui en donnent quotidiennement à savoir. Lire ces textes, relire la tradition, c'est aussi faire tradition, parce que dans le désir avoué de faire mieux que les autres (plus scientifique, plus rigoureux, plus actuel) pour parler du péché originel, on ne fait peut-être que re-éprouver la limite du discours, l'impossibilité de « savoir » ce dont il est question là. La tradition de la doctrine du péché originel ne fait que « rater la cible », mais ce faisant, elle ne fait pas rien... elle montre, plus qu'elle ne dit, elle transmet ce qui est en cause dans ce suivi des traces... une humanité qui s'échappe à elle-même parce que la vie lui est un don.

Il y a donc une doctrine traditionnelle du péché originel ; elle s'inaugure, dans ses termes et ses principales structures, avec la réflexion d'Augustin, mais déjà dans une relecture de textes bibliques : le chapitre 5 de l'épître aux Romains qui relit lui-même le récit de la Genèse, qui lui-même... Il y a toujours à lire, et des traces offertes à l'interprétation. Le retour nous ramène autour d'une question à entendre.

Les pages qui suivent seront principalement un essai de lecture de quelques documents de la tradition théologique du péché originel. Il s'agit pour nous, lecteurs, de feuilleter ces quelques pièces du « dossier », non pas pour suivre l'évolution (le progrès ?) d'une pensée, des textes bibliques à nos jours, mais pour essayer de repérer et d'exprimer, ce qui se donne à entendre dans ces discours, ce qui là est dit de nous, en tant que nous sommes des humains convoqués par la Parole de Dieu. Lire, ce sera aussi imaginer les conditions auxquelles ces textes sont lisibles, proposer les hypothèses anthropologiques et théologiques qui nous paraissent nécessaires pour rendre compte de la signification qu'ils manifestent, dans l'état où ils sont.

Un péché à l'origine ?

La doctrine théologique articule le salut advenu en Jésus-Christ à un péché posé à l'origine, et cela sous deux aspects.

Il y a d'une part un péché originel qui affecterait tout humain naissant, venant au monde, et que le baptême donné au nom de Jésus-Christ « enlève ». Ce péché originel est donc « quelque chose » qui n'est plus là, qu'on n'« a » plus. Il renvoie à l'expérience humaine d'être né, à l'existence humaine native, dans sa relation avec Dieu : qu'est-ce que le salut de Dieu a à faire avec le fait que les humains naissent d'une femme et d'un homme ? De cette existence humaine, le péché originel souligne le lien au mal, à la finitude, à la mortalité et à la culpabilité, et la solidarité avec ce qui affecterait l'humanité des hommes depuis son origine. Dans la formulation théologique traditionnelle, on parle alors du péché originel *originé*. On pressent déjà que ce dont il est question ici touche aux limites de l'homme, à ce qui le borne, ou le barre, du côté de Dieu, du côté du passé, du côté de la naissance et de la mort, et aux relations de chaque humain vivant à ces limites.

Il y a d'autre part un péché originel qui aurait été commis aux débuts de l'humanité, par Adam et Ève, « nos premiers parents » : un péché des origines dont Adam porterait toute la responsabilité, mais dont les effets de peine se transmettraient à tous les hommes (et à chacun) « par génération », un péché « racheté » par le Christ et sa mort rédemptrice. Ce péché d'origine serait l'objet du récit de la Genèse (Gn 2-3). Mais ce récit, notons-le, s'il raconte une « faute originelle », n'est pas à lui seul la doctrine du péché originel qui n'a de pertinence qu'autant que le Christ y prend place [1]. On parle alors du péché originel *originant*. Ce dont il est question dans le péché originel touche donc aux origines de l'homme, à ce qui instaure dès le début la lignée des humains. Cela touche à l'état de créature, et à la solidarité de tous les humains avec ce commencement. Mais que dire de ce commencement d'humanité créée, par quels discours l'appréhender : le récit « mythique » des origines, la science historique et paléontologique, l'anthropologie philosophique ? Encore une fois la doctrine du péché originel nous renvoie aux bornes des discours et aux conflits des rationalités.

Par ces deux aspects, la doctrine du péché originel a trait aux origines de l'homme, ou mieux, aux origines de l'humain dans l'homme. Mais notre réception de celle-ci achoppe sur

1. Cette excessive polarisation sur le récit de Genèse 2-3 se remarque assez bien dans le livre de E. DREWERMANN, *La Peur et la Faute*, t. I, Éd. du Cerf, 1992. Il y est constamment question de la « tradition yahviste du péché originel » que le christianisme aurait reprise (et mal située) : « Le dogme du péché originel ne signifie finalement rien d'autre que l'impossibilité pour l'homme d'être bon aussi longtemps qu'il est séparé de Dieu » (p. 80). Je pense pour ma part que le dogme du péché originel en dit beaucoup plus !

ceci : faut-il absolument poser un péché à l'origine ? Cela ne conduit-il pas à faire du mal le lieu originaire de l'humanité des hommes, et par contrecoup du salut une sortie, une échappée à la condition première et native de l'humanité ? Bref, faut-il cesser d'être humain pour entrer dans le salut de Dieu ? La tentation est forte de poser une contradiction entre la création et le salut : y aurait-il un principe mauvais de la création contre lequel vient combattre (et triompher) un principe bon du salut ? C'est l'avenue largement ouverte par le manichéisme. Mais on parle de péché, et pas seulement du mal : il n'y aurait pas, du côté de Dieu, contradiction entre création et salut. L'homme n'est pas « par nature » mauvais, mais il faudrait faire porter à l'homme (Adam le premier, et tout un chacun après lui) la responsabilité d'un méfait dont viendrait heureusement nous sauver, mais dans la souffrance et la mort, le Christ rédempteur.

Cependant, de quelle responsabilité parle-t-on pour ce premier homme, et surtout pour tout enfant naissant ? Peut-il y avoir péché avant même que soit constitué un sujet libre et responsable de ses actes[2] ? Un tel péché originel ne fait que fomenter la culpabilité, si à la dette impayable d'avoir été créé s'ajoute celle d'avoir été sauvé au prix de la mort du Christ. Si le péché originel installe l'humanité dans le combat du bien et du mal, et dans les conséquences non maîtrisables d'une responsabilité injustifiée, ne met-il pas la condition humaine dans une situation proprement impossible, n'est-il pas la source d'un moralisme culpabilisant où l'on a peine à retrouver la moindre trace d'une bonne nouvelle du salut ?

Une tradition mise au défi et le défi d'une tradition.

Toutes ces questions – et il y en aurait d'autres ! – semblent bien indiquer que la doctrine traditionnelle du péché originel conduit à une impasse, ou qu'elle produit même un « monstre théologique[3] », et l'on est finalement soulagé de constater que, par bien des aspects, notre rationalité moderne met au défi ce « monstre » et rend obsolète la cohérence et la pertinence de cette construction traditionnelle.

2. « Je serais censé avoir fait ce que je n'ai pas fait, et de ce chef, rendu responsable d'un acte posé quand je n'existais pas encore » (L. Billot, cité dans A.-M. DUBARLE, *Le Péché originel : perspectives théologiques*, Paris, Éd. du Cerf, 1983, p. 160).

3. J.-P. JOSSUA, *Lectures en écho*, 1976, p. 78, cité par DUBARLE, *op. cit.*, p. 161.

Signalons rapidement quelques-uns de ces défis : ils viennent de la science, de l'exégèse biblique, de la théologie et de la philosophie.

Il appartient aujourd'hui à la paléontologie de traiter des commencements de l'humanité, et d'en suivre la longue aventure; celle-ci laisse peu de place à l'hypothèse du «premier couple» sur laquelle apparemment repose la doctrine du péché originel lorsqu'elle parle du «monogénisme[4]». Quant à la biologie, elle porte un regard sur la génération de l'humain, qui laisse peu de place à la culpabilité d'être né.

L'exégèse biblique, pour sa part, permet d'analyser le récit de la Genèse sur la lecture duquel s'est élaborée la doctrine du péché originel : elle cherche à en préciser le genre littéraire, la date et les circonstances de composition; elle repère les traditions et les influences qui ont présidé à sa rédaction et montre comment les événements racontés ne sont pas ce que nous appelons habituellement des événements historiques réels[5]. La critique exégétique remet en cause la réalité historique d'Adam et de l'événement d'une première faute du premier couple humain; elle ne supprime pas toute vérité du récit biblique, mais elle oblige à l'entendre sur d'autres bases que celles de l'exactitude d'un fait en considérant le caractère symbolique de ce récit du commencement, et sa manière spécifique de rapporter à l'origine l'expérience fondamentale et commune de la faute. Mais si le récit de Genèse est symbolique, ou parabolique, peut-on encore parler «réellement» du péché originel : c'est une image, mais sait-on bien de quoi?

Un autre défi vient de la philosophie moderne et de sa conception du sujet humain, pôle historique de liberté et de responsabilité. Un péché posé à l'origine de l'humanité, et qui affecterait la nature humaine elle-même demeure-t-il pensable? Ne faut-il pas chercher ailleurs la précédence du mal et les conditionnements de la liberté, du côté des structures historiques du monde dans lesquelles naissent et vivent les hommes? La doctrine du péché originel semble être une

4. Voir l'allocution de Paul VI aux participants du Symposium sur le péché originel (11 juillet 1966), *Documentation catholique*, 48/1476, 7-21 août 1966, col. 1345-1352.

5. Voir P. Gibert, *Bible, mythes et récits de commencement*, Paris, Seuil, coll. « Parole de Dieu», Éd. du Seuil, 1986.

expression mythique de la finitude humaine, et la tentative naïve, et imaginaire, de décrire les conditions réelles de l'existence présente en projetant à l'origine un paradis perdu. La responsabilité historique de l'homme se joue au présent dans son combat pour la vie et pour la justice.

La théologie elle-même met au défi la doctrine traditionnelle du péché originel, en centrant sa perspective sur le salut réalisé et annoncé en Jésus-Christ. Subordonner l'œuvre du Christ à un péché préalable n'est-ce pas « désaxer » le message chrétien en réduisant l'opération du salut à la réparation d'une situation humaine marquée par le mal, et en faisant de ce salut la sortie imaginaire de la condition humaine réelle, un rêve néfaste et dangereux. N'est-ce pas également s'exposer à des constructions théologiques excessives autour de la rédemption et de la mort sacrificielle du Christ à laquelle semble se réduire alors le mystère de sa vie et de sa mort ? La réflexion théologique récente a préféré s'attacher à une réflexion sur « le péché du monde », qui respecterait mieux l'ancrage historique de la condition humaine et l'œuvre de salut du Christ, et éviterait de lier le péché à la génération humaine et de faire porter à l'homme une responsabilité de péché avant toute possibilité d'acte libre, tout en maintenant la précédence d'un péché déjà là auquel tout homme aurait affaire[6].

Face à tous ces défis, ne serait-il pas finalement préférable d'abandonner le péché originel et la doctrine qui l'orchestre, pour en proposer une nouvelle interprétation dans une présentation théologique et dans des expressions qui respecteraient mieux la rationalité moderne et les valeurs positives et libératrices du message évangélique ? Le maintien du péché originel n'est-il pas le signe d'un traditionalisme dépassé, le symptôme d'un pessimisme chrétien trop marqué d'augustinisme ? Ne lie-t-il pas trop le discours théologique à des figures mythiques, voire folkloriques (le serpent, la pomme...) ? Sans doute.

Il reste que les expressions nouvelles ne reprennent pas tout ce qu'exprime la tradition, et que celle-ci, dans des affirma-

6. Voir par exemple P. SCHOONENBERG, « L'homme dans le péché », dans *Mysterium salutis*, t. VIII, Paris, Éd. du Cerf, 1970 ; et K. RAHNER, *Traité fondamental de la foi*, Paris, Éd. du Centurion, 1983, p. 127 s.

tions souvent rébarbatives, signale un enjeu de la foi chrétienne dans les champs les plus profonds, les plus obscurs, et de l'existence humaine en ce qu'elle a d'originairement humain. Comment dire que le salut en Jésus-Christ concerne l'homme dans la définition, dans la structure même, de son humanité, et pas seulement dans les choix conscients de sa liberté et dans les valeurs qui la mobilisent. Comment raconter un salut qui concerne tous les hommes, et tout homme, dans les conditions originaires de son humanité singulière ? Tel serait le défi que la doctrine du péché originel lance à toute tentative de rationalité théologique. Cela est-il pensable aujourd'hui ?

Pour répondre à ce défi, il faut d'abord lire et relire cette tradition, non pas pour en donner un équivalent moderne et acceptable, mais pour tenter d'entendre ce qu'elle dit et ce qu'elle veut dans la construction de son discours, dans l'agencement de ses figures et de ses thèmes : que nous *veut*-elle, au fait, en disant ainsi ce qu'elle dit ? En deçà du discours manifeste (de l'histoire racontée et commentée), il faudra chercher les structures d'humanité que cette tradition présuppose, situer ce lieu où elle nous conduit et où elle nous indique la rencontre de Dieu et de l'homme, et repérer les effets et les traces, pour les humains, d'une telle rencontre.

Cette tradition est abondante, elle est diverse. Je n'ai retenu pour cet essai de lecture [7] que quelques pièces du « dossier » : il s'agira d'abord, pour voir où nous en sommes, de lire deux expressions contemporaines du Magistère (la *Profession de foi de Paul VI*, et la constitution *Gaudium et Spes* de Vatican II) ; viendront ensuite deux témoins de l'élaboration théologique de cette tradition : quelques passages de l'*Enchiridion* de saint Augustin et le décret du concile de Trente « définissant » le péché originel ; la lecture s'affrontera seulement ensuite au « dossier biblique » avec le récit de Genèse 2-3 et le chapitre 5 de l'épître aux Romains. Nous ne nous laissons donc pas guider par l'ordre historique d'une évolution de la pensée théologique, mais par la convergence des témoins et l'interaction des relectures.

7. Ces exercices de lecture reprennent le contenu d'un cours donné en 1990 à la faculté de théologie de Lyon.

Une méthode de lecture.

Le travail de lecture proposé ici s'appuiera sur les principes et les procédures de la sémiotique littéraire[8] dont je rappelle ici les principales orientations. Les textes à lire seront considérés non comme des documents témoignant d'une époque, d'une théologie ou des intentions d'un auteur, mais, en eux-mêmes, comme des « monuments » à visiter, ou à revisiter. « Monuments », les textes manifestent une signification dont il s'agit de proposer une description, et de représenter des modèles. Il s'agira donc d'observer aussi minutieusement que possible comment le texte dit ce qu'il dit, comment s'agence le récit qu'il raconte, comment sont présentés les enjeux, comment sont pris en charge par le langage, et figurés par le discours, les acteurs, les lieux, les indications de temps. En définitive, il nous faudra repérer les formes, les structures dans lesquelles le sens de ces textes se trouve articulé. C'est une lecture lente, parfois fastidieuse, qui refuse de décider trop vite quel doit être le « sens » de tel ou tel élément du texte, mais qui au contraire exige une longue observation.

Il s'agit pour le lecteur de savoir sur quels chemins d'interprétation le conduisent ces détails observés, ces singularités de structures. Si tous les textes que nous lirons traitent du péché originel, et si nous ne pensons pas *a priori* bien comprendre ce qu'ils entendent par ces termes, il nous reste à nous demander comment ils en parlent, à nous orienter à partir de cette manière singulière de parler, et à nous demander en quoi cette singularité est pour nous éloquente.

Pour chacun des textes que nous lirons, une procédure assez semblable sera mise en œuvre : nous commencerons par reconnaître les grandes séquences du texte, puis nous verrons « ce qu'il raconte », afin de mettre en forme ce qui peut ressembler à une intrigue (il y a des actions, des enjeux, des « héros » et des adversaires ; il y a des transformations de situations, et des sanctions positives ou négatives). Les éléments sémiotiques de la grammaire narrative seront convoqués au cours de cette première étape. Viendra ensuite un temps d'observation de ce qu'on appelle en sémiotique, la composante

8. Pour une présentation simple des principes et des procédures de la sémiotique littéraire et de son application à la lecture des textes bibliques, on pourra lire : J.-C. GIROUD, L. PANIER, « Sémiotique. Une pratique de lecture et d'analyse des textes bibliques », *Cahiers Évangile*, n° 59, Éd. du Cerf, 1987.

discursive, c'est-à-dire de l'agencement des éléments figuratifs du texte (les acteurs, les actions, les objets, les lieux etc.). Il s'agira de voir comment ces éléments sont manifestés par le texte ; et ici l'analyse doit être minutieuse et tenir compte des écarts, des différences. Il s'agira ensuite de se demander si cette organisation discursive obéit à des règles, à des constantes, et tenter d'interpréter les formes de ces parcours figuratifs. C'est alors qu'il conviendra de se demander si (et comment) dans leur singularité, chacun de ces textes, considéré comme une « œuvre », dit quelque chose de l'humanité des humains, et de la particularité de chacun dans cette humanité, c'est ce que nous appellerons *la question du sujet.* La lecture sémiotique ouvre sur des questions anthropologiques fondamentales qui ne sont pas étrangères à la théologie.

1

Autour de Vatican II

Pour entrer dans la lecture de la tradition du péché originel, je prendrai celle-ci à son terme, avec deux textes qui nous sont proches, la *Profession de foi* de Paul VI [1] et la constitution *Gaudium et spes* de Vatican II. Quelques observations sur la forme de ces deux textes permettront de dégager ce que pourraient être les « éléments constitutifs » et la « structure de base » d'un discours sur le péché originel. Nous pourrons ensuite évaluer les variations de cette forme dans d'autres textes de la tradition.

Il s'agit de traiter du péché originel à partir de ce qu'on en dit. *A priori*, je ne sais pas ce qu'est le péché originel, mais on en parle dans ces textes, et je puis au moins savoir comment on en parle. L'observation un peu rigoureuse des formes du discours, des figures, et de leurs agencements nous orientera vers quelques hypothèses d'interprétation qu'il nous faudra vérifier dans les textes.

1. Voir *Documentation catholique*, t. LXV, 7 juillet 1968, n° 1520, col. 1254. Le récent *Catéchisme de l'Église catholique* a paru alors que la plupart de ces études étaient rédigées. Un travail rapide sur ce texte a montré, d'une part, qu'il reprenait la structure de base de la doctrine telle que le texte de Paul VI en manifeste la forme, et, d'autre part, que l'aspect composite du discours en rendait l'analyse plus complexe. Je n'ai donc pas jugé utile de faire du texte du Catéchisme l'objet d'une étude particulière.

La «profession de foi» de Paul VI.

Nous croyons qu'en Adam tous ont péché, ce qui signifie que la faute originelle commise par lui a fait tomber la nature humaine commune à tous les hommes dans un état où elle porte les conséquences de cette faute et qui n'est pas celui où elle se trouvait d'abord dans nos premiers parents, constitués dans la sainteté et la justice, et où l'homme ne connaissait ni le mal ni la mort. C'est la nature humaine ainsi tombée, dépouillée de la grâce qui la revêtait, blessée dans ses propres forces naturelles et soumise à l'empire de la mort, qui est transmise à tous les hommes et c'est en ce sens que chaque homme naît dans le péché.

Nous tenons donc, avec le concile de Trente, que le péché originel est transmis avec la nature humaine, «non par imitation, mais par propagation», et qu'il est ainsi «propre à chacun».

Nous croyons que Notre-Seigneur Jésus-Christ, par le sacrifice de la Croix, nous a rachetés du péché originel et de tous les péchés personnels commis par chacun de nous, en sorte que, selon la parole de l'Apôtre, «là où le péché avait abondé, la grâce a surabondé».

Nous croyons à un seul baptême institué par Notre-Seigneur Jésus-Christ pour la rémission des péchés. Le baptême doit être administré même aux petits enfants qui n'ont pu encore se rendre coupables d'aucun péché personnel, afin que, nés privés de la grâce surnaturelle, ils renaissent «de l'eau et de l'Esprit-Saint» à la vie divine dans le Christ Jésus.

Ce texte me paraît être un bon témoignage de la structure de base de la doctrine du péché originel : on y trouve les composantes figuratives (acteurs, temps, espace) et les articulations narratives et logiques communes à tous les textes sur le péché originel. Il est question de la «faute» d'Adam et de ses conséquences sur tous les humains, il est question de l'acte sauveur du Christ, et également du baptême (en particulier de celui des petits enfants).

Remarquons en outre que le discours de Paul VI porte les marques de la «profession de foi»; trois paragraphes sur quatre commencent par «nous croyons». La corrélation du péché originel et du salut en Jésus-Christ est un objet de foi. Le second paragraphe, commençant par «nous tenons donc», réfère cette foi à l'adhésion à une tradition, celle du concile de Trente, et la citation de Paul l'articule au donné biblique. Le discours est ainsi coloré, ou modalisé, par cet acte de langage qu'est la confession de foi. La «profession de foi» n'est pas un discours scientifique, ni un discours idéologique qui viendrait expliquer une expérience humaine[2]; il ne répond pas à la question du mal ou de la finitude humaine, il déclare, il annonce le péché originel et son lien au salut en Jésus-Christ. Le discours de la confession de foi est relatif à l'objet dont il traite, mais il est également indissociable du sujet qui le tient; le sujet d'énonciation «nous» est d'ailleurs manifesté dans le discours.

Concernant le péché originel, cette marque formelle du discours est importante : faire profession de foi, c'est sans doute confier au langage (dire, déclarer) ce qui, par ailleurs, ne peut être «objectivement» su. Mais comment mesurer la «vérité» de ce discours?

Si nous observons maintenant la forme de l'énoncé, de ce qui est dit, nous constatons qu'elle est soutenue par un récit que, en fait, le texte ne raconte pas, mais qui lui confère une forme narrative manifestée par une série de trois transformations. «En Adam tous ont péché»; cet événement correspond à une première transformation de la nature humaine à laquelle s'enchaînent deux autres événements : le sacrifice de Jésus-Christ qui nous a rachetés, l'administration du baptême par lequel les enfants renaissent. Les deux premiers, au passé, sont réalisés, le dernier se répète dans l'application d'une règle.

Cette séquence de trois transformations constitue, pourrait-on dire la structure narrative de base de la doctrine traditionnelle du péché originel, susceptible de diverses expansions et variations. Reprenons-en le parcours dans le texte de Paul VI.

Adam.

Le premier événement n'est pas décrit, mais seulement qualifié : c'est un péché, une faute originelle. On ne reprend pas le récit du livre de la Genèse, mais de cet acte originel, on

2. On pourrait citer, par différence, le texte de l'Assemblée plénière de l'épiscopat français, *Dire la foi aujourd'hui* (Lourdes, 1978) : «Tout homme s'interroge sur lui-même. Il cherche à comprendre le sens de sa vie et de toute l'aventure humaine [...] À la lumière de la Révélation, nous répondons...» (*Documentation catholique*, n° 1754, 17 décembre 1978, col. 1065-1066).

retient l'agent (Adam) et l'enjeu (la nature humaine commune subit la transformation). Pour tout humain, cet acte particulier et originel affecte donc et met en cause la relation entre la position de *sujet* et la constitution de *nature.* Cette question touche à la singularité et à la solidarité humaines.

Deux acteurs sont concernés par cet événement : « Adam » et « tous ». Le nom d'Adam et son acte deviennent le lieu que tous et chacun occupent comme sujets («en Adam, tous ont péché » ; « chaque homme naît dans le péché »). C'est donc par rapport à cette faute initiale que tout homme trouve sa place de sujet. C'est ce que le texte semble dire, mais cela reste à comprendre...

En ce qui concerne les acteurs, notons également la mention de « nous » («nos premiers parents » ; « nous a rachetés »). Ce « nous » pose un lien entre énoncé et énonciation, entre les acteurs du récit (en troisième personne) et ceux qui racontent dans la confession de foi. La doctrine du péché originel est narrative, mais plus encore pourrait-on dire « autobiographique » : les croyants s'y racontent, s'y construisent un souvenir.

Du côté des enjeux, il s'agit de « la nature humaine commune à tous les hommes ». Elle est atteinte par cette faute originelle sans qu'on précise le lien entre la faute et ses effets sur la nature (est-ce conséquence naturelle, morale, juridique... ?). C'est l'« état de la nature » qui est transformé plus que la nature elle-même, pour autant que la nature puisse désigner ici l'humanité de *chacun* des humains (les premiers parents, chaque homme après eux), et que celle-ci ne soit pas prise seulement comme une substance générale, ou une réalité biologique. Les premiers parents sont garants de la nature humaine du point de vue de la génération, c'est au moins ce qu'on peut ici retenir de cette figure ; plus loin il sera question de la naissance.

Entre les premiers parents et la nature humaine qu'ils assument, le texte enregistre une opération, la « constitution dans la sainteté et la justice » ; pour ces humains, la nature humaine est instituée... elle n'est déjà plus simplement « naturelle » pourrait-on dire. Mais on ne dit pas à quelle instance réfère cette instauration : Dieu n'est pas nommé, ni la création, ni l'interdit donné à l'homme dans le jardin d'Éden... Justice et sainteté – que nous ne pouvons nous précipiter d'interpréter – signalent au moins une place, un statut pour ces humains : on parle de l'« état » de la nature humaine.

On pourrait donc faire l'hypothèse suivante : dans ce texte, l'humanité des hommes se trouve définie à la croisée de deux dimensions distinctes et corrélatives que sont la *génération* et l'*instauration*. La génération, parce qu'elle est humaine, porte la trace de cette croisée. Ce qui fait problème dans la nature humaine, c'est justement qu'elle soit… humaine, et qu'en chaque humain naissant, elle porte trace de son instauration.

Notre texte pose le péché comme lieu d'humanité ; l'instauration du sujet (chaque homme) est vécue par la nature comme blessure présupposant une perte, et une faute originelle. La mort est une figure typique de cette humanité. Alors que « l'homme ne connaissait ni le mal ni la mort », la nature humaine est maintenant « soumise à l'empire de la mort ». Le texte ne parle pas d'un passage de l'immortalité à la mortalité, il signale que la mort humaine, pour un humain, n'est pas une inconnue, ou un tout-autre de la vie (la fin naturelle de la vie), elle est dans la vie, comme un pouvoir, comme une blessure qui atteste, dans la nature humaine, cette croisée et cette perte sur lesquelles originairement se fondent les humains. Avec le sacrifice de Jésus-Christ, il s'agira de voir comment la mort est dans la vie, mais qu'elle n'y est pas comme un « empire », ou un pouvoir.

Le second paragraphe du texte reprend explicitement le concile de Trente et insiste sur la position réelle du sujet humain, en opposant « propagation » et « imitation ». Si le péché originel est transmis par génération, c'est que la génération, pour les humains, transmet autre chose que la simple nature naturelle (le capital génétique et son code), quelque chose qui a trait à l'instauration d'un sujet qui n'est pas un cas d'espèce, ou un simple exemplaire de la nature humaine. Prôner la propagation contre l'imitation, c'est ancrer la question du péché originel dans le réel de la condition humaine, dans la chair que transmettent les générations, et ne pas la contourner du côté de la séduction des apparences, ou de l'adhésion volontaire aux valeurs du monde marqué par le péché. C'est finalement éviter une idéologisation du péché originel, pour poser, dans la transmission des générations humaines, l'énigme du « propre à chacun ».

Jésus-Christ.

La confession de foi développe un second événement, passé, accompli, réalisé par Jésus-Christ. Là encore, le texte décrit peu ; il pose les deux dimensions d'un acte : rachat et surabondance. Quant à la signification du rachat, on pourrait penser à une réparation, à la restauration d'un état primitif, mais la surabondance de la grâce empêche cette lecture. Le rachat ne vient pas combler un manque : il y a surabondance de ce qui ne manquait pas.

De nouveau le texte nous oriente vers le statut des sujets humains : de même que les premiers parents étaient constitués dans la sainteté et la justice, les enfants (nous) sont rachetés par Jésus-Christ. Dans l'un et l'autre cas, mais diversement, il est question d'une instauration des sujets, qui les met en rapport avec une autre instance. Le texte développe peu cette seconde opération, figurée par le « sacrifice de la Croix ». Poursuivant l'hypothèse de lecture suggérée plus haut, nous pourrions supposer qu'il s'agit, dans le Christ, de poser autrement l'articulation de la vie et de la mort, de telle sorte que la mort ne soit pas annulée, mais qu'elle ne soit plus un pouvoir sur la vie.

Notons ici les relations posées entre un-tous-chacun. Comme avec Adam, le rapport de tous à un aboutit à la position singulière de chacun : la solidarité produit la singularité, et l'opération du Christ concerne « le péché originel et tous les péchés personnels commis par chacun de nous ».

Le baptême.

Cette troisième transformation n'est pas un événement passé, accompli, mais une règle (« le baptême doit être... ») qui dans le présent de sa répétition noue les deux premiers événements.

On peut rapprocher les deux actes rapportés au Christ : le rachat du péché par le sacrifice de la Croix, et l'institution du baptême pour la rémission des péchés. La rémission n'est pas l'équivalent du rachat ; elle le présuppose comme cet acte originaire qui l'autorise et qui place la mort au lieu de la renaissance.

Les «petits enfants» auxquels le texte s'attache particulièrement signalent sans doute le lien de tout homme à sa naissance; ils sont en outre la figure même d'une situation de péché sans acte libre, responsable et coupable. Si le baptême concerne le péché, c'est bien en tant que lieu natif du sujet humain («chaque homme naît dans le péché» – «renaître à la vie divine dans le Christ»). Le terme de péché, maintenu ici nous obligera à revenir sur la question du sujet et de la responsabilité.

Il ne s'agit pas, par le baptême, de donner (restituer) la grâce comme un objet-valeur qui aurait manqué auparavant, mais d'instituer (instaurer) et de signifier une référence pour le sujet humain naissant (et responsable). Remarquons ici comme cette référence se déploie sous deux figures, l'«eau» et l'«Esprit-Saint». Ces figures sont traditionnellement associées au baptême, mais on peut se demander ce que signale cette double référence pour le sujet de la «renaissance»; s'agirait-il d'un sujet divisé? Avec le baptême des petits enfants, c'est encore du sujet humain qu'il est question, et de sa place, à la croisée de la génération et de l'instauration.

Dans sa brièveté, et dans sa sobriété, le texte de Paul VI me semble un bon témoignage de la structure élémentaire de la doctrine du péché originel, articulant acte d'Adam, acte du Christ et baptême. Les remarques faites au fil de la lecture ont permis de repérer quelques éléments d'organisation des figures et des thèmes; elles ont soulevé aussi bien des questions avec lesquelles il nous faudra interroger les autres textes; elles ont suggéré aussi les enjeux anthropologiques fondamentaux qui paraissent sous-tendre la doctrine traditionnelle du péché originel. Ceux-ci concernent l'origine de l'humain dans l'homme, non pas en termes d'histoire des commencements de l'humanité, mais en termes de naissance et de génération : comment chaque être humain trouve-t-il place dans la transmission des générations, à quel prix la génération humaine laisse-t-elle émerger des sujets de la vie divine, et comment se croisent en tout homme, en tout fils d'homme, génération et instauration. Questions d'humanité, questions de vérité pour la vie des humains qu'aborde la doctrine du péché originel lorsqu'elle pose en cette radicalité originaire, l'impact et la trace du salut chez les humains.

« Gaudium et spes » (13).

Établi par Dieu dans un état de justice, l'homme, séduit par le Malin, dès le début de l'histoire, a abusé de sa liberté, en se dressant contre Dieu et en désirant parvenir à sa fin hors de Dieu. Ayant connu Dieu, « ils ne lui ont pas rendu gloire comme à un Dieu... mais leur cœur inintelligent s'est enténébré », et ils ont servi la créature de préférence au Créateur. Ce que la Révélation divine nous découvre ainsi, notre propre expérience le confirme. Car l'homme, s'il regarde au-dedans de son cœur, se découvre enclin aussi au mal, submergé de multiples maux qui ne peuvent provenir de son Créateur, qui est bon. Refusant souvent de reconnaître Dieu comme son principe, l'homme a, par le fait même, brisé l'ordre qui l'orientait à sa fin dernière, et, en même temps, il a rompu toute harmonie, soit par rapport à lui-même, soit par rapport aux autres hommes et à toute la création.

C'est donc en lui-même que l'homme est divisé. Voici que toute la vie des hommes, individuelle et collective, se manifeste comme une lutte, combien dramatique, entre le bien et le mal, entre la lumière et les ténèbres. Bien plus, voici que l'homme se découvre incapable par lui-même de vaincre effectivement les assauts du mal ; et ainsi chacun se sent comme chargé de chaînes. Mais le Seigneur en personne est venu pour restaurer l'homme dans sa liberté et sa force, le rénovant intérieurement et jetant dehors le prince de ce monde, qui le retenait dans l'esclavage du péché. Quant au péché, il amoindrit l'homme lui-même en l'empêchant d'atteindre sa plénitude.

Dans la lumière de cette Révélation, la sublimité de la vocation humaine, comme la profonde misère de l'homme, dont tous font l'expérience, trouvent leur signification ultime.

Ce texte ne mentionne pas explicitement le péché originel, mais pour manifester la « signification ultime » de la condition humaine, il articule un « abus de la liberté » commis par l'homme dès le début de l'histoire et un acte de « restauration » réalisé par le Seigneur. Nous retrouvons donc avec quelques variantes figuratives deux des principaux appuis narratifs de la doctrine du péché originel, mais dans un contexte interprétatif particulier qui en réoriente la signification.

Le discours de Vatican II n'est pas une profession de foi qui déclare le péché originel, mais un discours d'interprétation qui construit et propose une signification « ultime » de la condition humaine. Sans doute, le péché originel n'est-il pas une explication des causes de la misère humaine, mais les éléments narratifs traditionnels – ce qu'on appelle ici « la Révélation » – par leur conformité aux données de l'expérience humaine commune, en dévoilent la « signification ultime ». « Révélation » et « expérience » développent donc deux réseaux figuratifs, conjugués dans le discours, et qui s'interprètent mutuellement.

Le texte s'organise en trois paragraphes où sont articulées la Révélation et l'expérience. Dans le premier paragraphe, la Révélation vient d'abord avec le récit initial (l'homme a abusé de sa liberté). Une deuxième séquence fait appel à l'expérience qui « confirme » la Révélation. Puis l'on revient à l'action de l'homme « refusant souvent de reconnaître Dieu ». Dans le second paragraphe, l'expérience vient d'abord pour décrire la situation de division et de lutte de l'homme. La Révélation concerne l'opération réalisée par le Seigneur, qui transforme cette situation par une « restauration » de l'homme. Le troisième paragraphe conclut en nouant Révélation et expérience.

Ces deux réseaux tracent les parcours figuratifs d'un même acteur générique, « l'homme ». C'est l'homme qui au début de l'histoire a abusé de sa liberté, c'est l'homme qui est divisé en lui-même, c'est l'homme qui est restauré, c'est l'homme qui est finalement révélé à lui-même. Centrant son propos sur cet acteur générique, le texte de Vatican II ne retient pas la singularité d'Adam, mais il laisse peut-être échapper la question posée par le statut de chaque homme dans l'humanité. Il ne retient d'ailleurs pas non plus la séquence du baptême au risque d'en rester à une opposition un peu trop binaire entre la faute et le salut.

Le texte pose d'abord un acteur, l'homme, entre deux relations et deux instances : l'établissement par Dieu, la séduction par le Malin. Par la médiation de l'abus de la liberté, cette situation d'« entre-deux » aboutit à une division de l'homme « en lui-même ». Cette situation de division est transformée par la restauration accomplie par le Seigneur pour aboutir au statut complexe de vocation sublime et de profonde misère. Alors que l'expérience humaine est celle de la division interne de l'homme, la lumière de la Révélation interprète cette division, et la transforme, pour situer l'homme dans son rapport à Dieu. Par la médiation d'un discours sur le péché originel, la division de l'homme peut signifier la relation à Dieu, et l'histoire de cette relation. Reprenons les différentes séquences de ce parcours.

L'abus de la liberté.

La première séquence narrative pose trois acteurs : Dieu, le Malin et l'homme. Dieu et le Malin ne sont pas des rivaux dans une polémique dont l'homme serait l'enjeu, mais ils sont les deux pôles qui articulent la situation de l'homme « dès le début de l'histoire » (ce qui laisserait entendre que cette situation se poursuit par la suite dans l'histoire...). « Dieu établit l'homme dans un état de justice. » Il ne s'agit pas de la création, mais d'une institution, où Dieu confère à l'homme un statut ; cette opération est d'ordre symbolique : la justice règle un ordre de relations et définit de justes places. Le Malin séduit ; le texte ne dit ni pourquoi, ni comment, mais il introduit ainsi face à l'opération symbolique, une entreprise « maligne » qui met en œuvre le paraître et le mensonge des apparences. L'homme, avec sa liberté, est ainsi placé entre un pôle imaginaire qui semble pouvoir mobiliser la liberté, et un pôle symbolique qui fait règle et limite. La liberté n'est pas placée devant l'alternative d'un choix de valeurs (ou Dieu ou le Malin), mais relativement à une limite (et à une vérité) de son usage.

La première opération dont l'homme est sujet s'appelle « abus de la liberté » ; liberté abusive et abusée, usage transgressif et trompeur qui entraîne à la fois la méconnaissance de l'altérité de Dieu (l'homme se dresse contre lui, il ne lui rend pas gloire comme à un Dieu), et la confusion des objets proposés à la liberté (la créature plutôt que le Créateur).

L'usage de la liberté est donc pour l'homme le révélateur des relations qui le constituent. L'expérience humaine, retenue ici, est celle d'une liberté blessée, affectée par ce qui, du mal, lui échappe. À un excès de liberté déclaré par la Révélation correspond donc un manque de liberté ressenti dans l'expérience. Dans l'un et l'autre cas, il s'agit de figurer une limite de la liberté, de tracer un espace proprement humain et de dire les conditions de cette délimitation : débordé par l'homme (excès de la liberté), l'espace est investi par le mal.

L'homme submergé.

« Enclin au mal, submergé de maux », ces figures évoquent une situation qui échappe à la liberté de l'homme : abus de liberté et liberté blessée sont mis en correspondance par le texte de Vatican II sans que ce rapport soit explicité (conséquence naturelle, morale, juridique... ?). On pose seulement la conformité entre ce que raconte la Révélation (abus de liberté) et ce que dit l'expérience (liberté blessée).

Dans cette séquence apparaît la figure du mal (et des maux) avec lequel l'homme a affaire. Le mal n'était pas apparu dans la première séquence, sinon dans le nom du « Malin ». Il apparaît avec l'expérience humaine, comme une altérité autre que le Créateur : quelque chose d'autre vient à l'homme, qui n'est pas du Créateur, et qui est le « mal » opposé au « bon ». Notons que la catégorie « mal-bon » n'est pas équivalente à la catégorie « mal-bien » ; elle fait appel à ce qui est ressenti par le sujet plus qu'à ce qui lui est déclaré par une loi : nous sommes dans l'ordre de l'expérience sensible.

Une troisième séquence prolonge ce parcours de l'homme : il ne s'agit plus de ce que l'homme ressent, mais de ce qu'il fait s'il est relié à autre que Dieu : il refuse de reconnaître Dieu comme principe. La présence du mal, auquel l'homme est enclin et soumis entraîne non seulement la méconnaissance, mais également le refus de la reconnaissance. Cette forclusion de l'altérité de Dieu affecte l'ensemble de la structure relationnelle de l'homme (il a brisé l'ordre, rompu toute harmonie).

L'homme divisé.

Le second paragraphe du texte reprend cette situation de l'homme sous une autre figure : la « division ». L'homme est divisé en lui-même. Il y a ainsi une homologation et une conformité entre le rapport à l'autre (Dieu, la création, les autres hommes) et la structure interne de l'homme, entre la limite franchie et la division interne.

Le parcours figuratif se prolonge avec la « lutte » : on passe de la différence, à la division, puis à la polémique. La vie de l'homme est figurée ici comme l'espace d'un combat entre des éléments antagonistes où se reproduit la division (bien/mal, lumière/ténèbres) et il y a pour l'homme des ennemis à vaincre. Cette disposition modifie le statut de l'homme : s'il y a combat, il est question de « force », de pouvoir-faire. On n'en est plus à une définition « statutaire » de l'homme « établi par Dieu », ni à l'ordre du vouloir-faire (avec la liberté). Il est question maintenant d'avoir une compétence pour vaincre ; mais la division constatée plus haut atteste en l'homme le défaut de cette compétence, une défaillance expérimentée comme incapacité de vaincre, et comme enchaînement.

L'homme restauré.

C'est par rapport à cet état de l'homme qu'intervient l'acte du « Seigneur lui-même ». Le texte ne donne aucune figuration particulière de cet acteur (ce peut être le Christ), mais il le réfère à l'espace de l'homme, particulièrement manifesté dans cette séquence. L'homme est un espace – c'était plus haut l'espace de la division et de la lutte : le Seigneur « est venu », il rénove l'homme « intérieurement », il jette « dehors » le prince de ce monde. Le Seigneur semble ainsi reconstituer et re-délimiter l'espace de l'homme sous ses deux modalités du vouloir (liberté) et du pouvoir (force). Cette transformation toutefois ne fait pas revenir à l'état initial : qu'en est-il maintenant de l'état de justice dans lequel l'homme avait été établi ?

L'homme est rétabli dans sa liberté et dans sa force, mais le péché demeure comme blessure et faiblesse (il amoindrit l'homme) et comme empêchement pour la plénitude qui est un but ou une fin de l'homme. Cette situation finale peut s'évaluer au regard de la situation initiale : « L'homme a brisé l'ordre qui l'orientait à sa fin dernière. » Cette brisure est maintenue sous la figure du péché qui fait limite à l'homme sans pour autant porter atteinte à la liberté et à la force qui ont été restaurées. Le péché semble être dans l'homme la trace d'un impossible avec lequel il faut vivre, la brisure d'une impossible plénitude.

Le discours de Vatican II nous fait ainsi passer d'un statut polémique où l'homme divisé est défini par le combat contre le mal à une situation plus complexe où l'homme, avec la liberté et la force, est confronté à un impossible. La plénitude n'est pas ici un objet-valeur qu'il faudrait acquérir pour être achevé ; mais la position de l'impossible peut rappeler ici l'altérité manifestée au départ par la « justice » dans laquelle Dieu a établi l'homme. «Justice» et «péché» pourraient être ainsi les deux figures corrélatives d'un statut de l'homme relatif à l'altérité de Dieu, les deux «bords» de cette limite d'altérité.

Au terme, le dernier paragraphe conclut sur la vocation de l'homme et sur sa profonde misère. Le statut de l'homme conserve la marque de la différence, déjà mentionnée au départ entre l'établissement par Dieu dans la justice et la séduction du Malin, puis par la division de l'homme en lui-même, enfin par la fonction du péché marquant une limite. Il y a vocation de l'homme : l'altérité de Dieu qui fonde l'homme dans sa juste place fait appel pour l'homme, ou dessine une destination, un projet; il y a misère profonde puisque l'homme dans sa liberté et sa force ne peut soutenir cette limite d'altérité.

Deux remarques pour conclure cette rapide lecture de *Gaudium et spes* :

a. La doctrine du péché originel a une structure narrative, elle agence en parcours l'action de Dieu, de l'homme, du Malin et du Seigneur. Elle articule une phase de méfait (pour reprendre la terminologie de Vladimir Propp) et une phase de restauration, en résistant toutefois à la simple symétrie qui la ferait revenir à un état premier : ce «non-retour» révèle peut-être un manque initial constitutif de l'homme, qui se trouve caché et recouvert par le méfait. Cette structure narrative élémentaire est une structure forte (aussi forte que celle des contes populaires), susceptible de se retrouver sous diverses variations et expansions figuratives. La doctrine du péché originel, c'est aussi la forme d'un parcours narratif.

b. Le texte de Vatican II intègre cette structure dans un discours qui déploie le parcours de l'homme plus qu'il ne développe le récit lui-même (pas de descriptions de l'état initial de l'homme, de sa «faute» et des circonstances de sa restauration). Le récit devient générique, un même acteur, l'homme, étant «en scène» dans tous les épisodes. Mais ce que le récit perd en figurativité référentielle, il le gagne en force interprétative. Le récit du péché originel n'explique pas vraiment la condition humaine présente, mais il permet de donner forme narrative au parcours de l'homme, il donne une rationalité narrative à ce que l'expérience humaine présente comme donnée à interpréter. Ce texte de Vatican II n'explique pas la situation actuelle des hommes par un événement passé (la faute d'Adam), mais il articule et superpose le récit (Révélation) et le constat (expérience), il construit l'homologation de deux réseaux figuratifs. De ce fait, le caractère singulier et événementiel de la « faute d'Adam » disparaît de la perspective, c'est l'homme de toujours qui est en question, et la condition humaine telle qu'elle est dès le début de l'histoire. Le récit du péché originel est ici « déshistoricisé (désingularisé) pour devenir structure de contenu. Là où la profession de foi de Paul VI pose l'écart entre le sujet humain et la nature humaine, le texte de Vatican II ne retient que les aventures constantes de la liberté toujours précédée par Dieu et par la venue du Seigneur.

2

Aspects de la doctrine augustinienne

En lisant quelques pages du «Manuel» («Enchiridion»)

On s'accorde à faire d'Augustin l'«inventeur» du péché originel, le responsable de l'expression et de la doctrine dans ses articulations principales. Nous nous proposons, dans ce chapitre, une lecture de la proposition augustinienne à partir de quelques pages de l'*Enchiridion* (le *Manuel*), lecture partielle certes au regard de l'œuvre d'Augustin, mais lecture suffisamment précise pour faire apparaître quelques traits importants de cette doctrine.

Nous situerons d'abord, à grands traits, quelques aspects de la tradition théologique antérieure à Augustin, puis pour introduire à la lecture de l'*Enchiridion*, nous situerons le contexte et les grandes lignes de la pensée d'Augustin sur le péché originel.

La tradition antérieure à Augustin.

La tradition antérieure, lorsqu'elle affirme le salut en Jésus-Christ, ne le situe pas en dépendance d'une faute originelle commise par Adam. S'il y a des parallélismes entre le récit d'Adam et le récit du salut, ils sont posés plutôt en termes d'accomplissement qu'en termes de rachat d'une faute [1]. S'il y a une rébellion de l'homme contre Dieu, elle est précédée de la rébellion plus primitive encore des esprits créés [2], ou bien

1. Voir H. RONDET, *Le Péché originel dans la tradition patristique et théologique*, Paris, Fayard, 1962. Voir par exemple JUSTIN, *Dialogue avec Tryphon*, XCI, 4; C, 4-5; CXII, 2.
2. Voir TATIEN, *Discours aux Grecs*, n. 7 et 11.

elle est le fait d'un humain encore à l'état d'enfant[3]. S'il y a châtiment dû à cette faute, il est pédagogique, effet de la bonté de Dieu qui autorise un acte de restauration de la part de l'homme.

Irénée est un bon témoin de cette tradition ancienne. Il pose en tête l'affirmation du salut de tout l'homme, à partir de quoi il convient d'affirmer également le salut d'Adam, et à partir de quoi il est possible de penser une « histoire du salut » où le Christ réalise un accomplissement ou une récapitulation plus qu'une restauration de l'humanité déchue. La première faute du premier homme est une faiblesse enfantine et la peine encourue s'intègre dans la pédagogie de Dieu[4].

La tradition ancienne est également caractérisée par une lecture allégorique de l'Écriture qui prend sa source chez Philon d'Alexandrie, avec qui commencent également les spéculations sur l'état primitif de l'homme Adam. L'homme a été créé dans un état idéal, où il est maître de la création, proche du logos divin par son âme, et par son corps, uni à tous les êtres du monde. L'état paradisiaque d'Adam, c'est l'état de l'âme vertueuse ; mais l'homme est exilé de cet état vertueux à cause d'Ève qui représente la sensibilité, auxiliaire de l'intelligence, et à cause du serpent qui représente la volupté. L'âme exilée est ensevelie dans le tombeau du corps. L'allégorie, on le voit, organise une anthropologie, qu'elle rend figurative.

La lecture allégorique est aussi celle que pratique Origène : il y a deux récits de la création dans la Genèse parce qu'il y a une double création. Dans la première, l'homme est créé selon l'image de Dieu. On n'y trouve pas de matière : c'est par l'esprit, et non par le corps ou la matière, que l'homme est image de Dieu. La deuxième création est celle de l'homme charnel, elle succède au péché des âmes, elle est l'effet de la pédagogie et de la bonté de Dieu : c'est en effet dans la chair que l'homme peut œuvrer pour la restauration de l'image de Dieu.

Augustin se démarque de cette lecture allégorique de la Genèse, et c'est à partir d'une lecture littérale des récits de la création qu'il pose à nouveaux frais la question de la faute d'Adam et en développe les dimensions tout à la fois anthropologiques et théologiques.

3. THÉOPHILE D'ANTIOCHE, *Trois Livres à Autolycus*, II, 25-26.
4. IRÉNÉE, *Adversus haereses*, III, 20. 23.

Le contexte historique et théologique de la proposition augustinienne.

La doctrine augustinienne du péché originel a fait l'objet de nombreuses présentations historiques et théologiques[5]. On trouvera ici seulement quelques points de repère pour introduire la lecture.

Augustin serait donc l'inventeur de la «formule» du péché originel. L'expression apparaît en effet, pour la première fois dans le *De quaestionibus ad Simplicianum*, 10 (Œuvres, Bibliothèque augustinienne, t. X, p. 424) lorsqu'il commente cette expression de Paul : «Je sais que ce n'est pas le bien qui habite en moi, je veux dire dans ma chair» (Rm 7, 18). Augustin écrit : «Paul sait que ce n'est pas le bien qui habite dans sa chair, mais bien le péché par l'intermédiaire de la mortalité et dans la persistance de la sensualité, la mortalité venant du châtiment du péché originel (*ex poena originalis peccatis*).»

Le mot est lancé... et posé le lien entre la mortalité de l'homme, le châtiment et le péché originel. Le premier pivot du péché originel, c'est bien le statut de l'homme mortel, mais il y a également la solidarité de tous dans cette mortalité conçue comme une peine, une solidarité «qui agglomère l'universalité du genre humain comme une seule et même pâte du fait de la faute originelle demeurant en tous». Autre expression lourde de conséquences et autre pivot pour péché originel : l'humanité est constituée en «masse damnée» *(massa damnata*[6]*)*. Comment, de cette masse humaine, faire émerger des sujets, des êtres singuliers?

5. Voir Ch. DUQUOC, «Péché originel et transformations théologiques», dans *Lumière et Vie*, n° 131, 1977, p. 41-56.

6. L'expression se retrouve en plusieurs textes d'Augustin. «Notre créature a péché dans le paradis et c'est pourquoi nous sommes devenus une masse de boue qui est une masse de péché» (*De diversis quaestionibus 83*, q. 68, 3). «Tous les hommes forment comme une masse de péché ayant une dette d'expiation envers la divine et souveraine justice. Cette dette, Dieu peut l'exiger ou la remettre sans commettre d'injustice. C'est acte d'orgueil des débiteurs que de décider à qui il faut l'exiger, à qui il faut remettre la dette» (*Ad Simplicianum*, I, 2, 16). On note ici l'articulation entre la masse de péché, la dette et la singularité des sujets, questions sur lesquelles nous reviendrons. «Après la chute, tous les hommes ne formèrent plus qu'une masse infectée par le péché et condamnée à la mortalité, quoique Dieu n'eût créé que ce qui est bon» (*Ad Simplicianum*, I, 2, 20). On trouvera toutes ces références dans l'étude publiée par Liebart dans *Mélanges de sciences religieuses*, VI, 1949 (33-34).

En dépit de la simplicité abrupte des formulations, la pensée d'Augustin est complexe, fluente et évolutive, entre les premières formulations et les grandes synthèses. Nous noterons quelques points de repère pour comprendre la réflexion d'Augustin. Celle-ci est marquée par sa propre expérience de la conversion, par l'évolution de sa lecture de la Bible, par son débat philosophique avec le manichéisme sur la question du mal et par les querelles avec le pélagianisme sur la question du libre arbitre et de la grâce. Mais le discours d'Augustin ne se résout pas dans son contexte historique, il nous restera à le lire pour entendre ce qu'il dit.

L'expérience de la conversion.

Elle forme chez Augustin une conscience aiguë et existentielle du mal et du péché, qui d'une certaine manière, résiste aux synthèses philosophiques et théologiques. La doctrine du péché originel doit rendre compte non seulement du mal comme notion ou comme fait de nature, mais, dans l'expérience du sujet, comme « affection » de la volonté. Il faut pouvoir dire une « torsion » du vouloir et manifester les principes d'une aliénation radicale de la liberté vécue[7].

Exégèse biblique et anthropologie.

Dans la lecture de la Genèse en particulier, Augustin passe d'une lecture allégorique à une lecture littérale. Celle-ci n'est pas sans rapport avec les dimensions anthropologiques de la réflexion : si Adam est un humain « réel[8] », comme nous, son péché est un péché d'homme, dont Augustin peut analyser les composantes avec une redoutable précision, on le verra. Le récit de Genèse, dans une lecture littérale, a une portée anthropologique, et les modèles de l'anthropologie peuvent en éclairer la lecture.

7. Voir *Confessions*, V, IX et VII, XVI.

8. Voir *De Gen. ad Lit.*, VIII, 1 : « C'est ainsi que j'entends parler du paradis, selon ce que Dieu me donnera de le faire. L'homme fait du limon de la terre, ayant un corps humain, a été placé dans un paradis corporel. Bien que cet Adam signifie autre chose, selon ce que dit l'Apôtre, et qu'il soit la figure d'un être à venir, ce fut cependant un homme au sens littéral du terme, un homme qui vécut un certain nombre d'années, et qui ayant engendré une postérité nombreuse, mourut comme les autres hommes, bien qu'il ne fut pas né comme les autres de parents (antérieurs), mais tiré de la terre. Ainsi donc, le paradis dans lequel il fut placé par Dieu doit être compris comme un lieu réel, une terre où habiterait un homme terrestre. »

Ces modèles sont empruntés au stoïcisme et au néoplatonisme[9]. Augustin décrit l'état paradisiaque de l'homme sur le modèle de l'idéal stoïcien : l'*ataraxie*. C'est un état où les passions sont totalement maîtrisées par la raison, un état où se trouve respectée la hiérarchie des instances qui structurent l'être humain[10]. On peut envisager ce que seraient les relations de l'homme et de la femme dans cet état de « perfection », et quel aurait été le régime de la génération humaine avant ou sans le péché originel ; ce modèle virtuel d'humanité permet de préciser l'état actuel de l'humanité des humains. Il faut envisager (imaginer) une génération sans passion, voire sans désir, où la raison aurait guidé les organes de la génération comme elle le fait pour la tête, la main, les pieds... La semence procréatrice aurait été répandue avec la même sérénité que le grain des semailles par la main du semeur[11].

Par comparaison avec cette économie parfaite de l'humanité, on peut donc repérer dans le régime présent de l'humanité, les traces du péché originel : elles sont dans la mortalité, elles sont dans la forme « concupiscente » du désir humain. Celle-ci est telle que le corps n'obéit plus aux motions conscientes du vouloir ou de la raison. L'humain engendré et mortel est mû par quelque chose qui n'est pas de l'ordre du vouloir et de la raison, quelque chose qui n'est pas seulement distinct ou différent, mais qui fait torsion dans le vouloir. La réflexion d'Augustin va tenter de cerner ce point obscur ou ce point aveugle qui fait obstacle à l'ordre parfait et lance l'humain dans le déséquilibre : le vouloir est détourné de sa direction droite et consciente[12], mais que peut-on dire de l'origine

9. Voir H. RONDET : « Anthropologie religieuse de saint Augustin », *Revue des sciences religieuses*, t. XXIX (1939), p. 163-196.

10. « La providence de Dieu qui gouverne et administre la création entière [...] se soumet primordialement toutes choses, puis elle soumet la créature corporelle à la créature spirituelle, l'irrationnelle à la rationnelle, la terrestre à la céleste, la féminine à la masculine, la moins puissante à la plus puissante, la plus indigente à la plus riche » (*De Gen. ad lit.* VIII, XXIII, 44). « Comme Dieu l'emporte sur toute créature, ainsi l'âme l'emporte sur toute créature corporelle en dignité de nature. Mais elle administre le corps par la lumière et l'air qui sont des corps les plus excellents [...] se servant des corps qui sont les plus semblables à l'esprit (*De Gen. ad lit.*, VII, XIX, 25).

11. *De Gen. ad lit.*, IX, X, 18 ; *Cité de Dieu*, XIV, XXIII-XXIV.

12. « La volonté s'attachant au bien commun et immuable obtient les premiers et les plus grands biens tout en n'étant elle-même qu'un bien moyen. Elle pèche au contraire lorsqu'elle se détourne du bien commun et immuable pour se tourner soit vers un bien particulier, soit vers un bien extérieur, soit vers un bien inférieur. Elle se tourne vers un bien particulier lorsqu'elle se veut maîtresse d'elle-même... Comme cette perversion n'est pas forcée, mais volontaire, c'est avec convenance et justice qu'elle est suivie du châtiment et de la misère » (*De Libero arbitrio*, II, 19, 53).

de ce « détour » constitutif de l'humain naissant et mortel ? Pour Augustin, ce déséquilibre, dont la concupiscence est le symptôme, peut être lu comme la conséquence et le châtiment d'une perversion originaire du vouloir, au point que le péché d'Adam se trouve comme encadré entre la torsion du vouloir (orgueil) qui le soutient et la concupiscence qui l'atteste.

Le refus du manichéisme.

Le manichéisme pose au principe la séparation du bien et du mal, deux instances, ou deux substances, dont la rivalité soutient la coupure entre ce monde-ci, lié au mal, et la réalité bonne de Dieu. Pour les humains, l'origine du mal est liée à une chute des âmes dans ce monde-ci, le salut est dans une sortie de ce monde mauvais pour rejoindre la réalité de Dieu. Augustin aura du mal à se déprendre de cette synthèse explicative et séduisante [13]. N'est-elle pas une bonne rationalisation du péché originel qu'elle intègre dans l'affirmation d'une « nature mauvaise » ou d'un mal de nature, d'autant mieux d'ailleurs qu'on fait une lecture allégorique du récit de la Genèse.

Le refus du manichéisme oriente la réflexion d'Augustin du côté du libre arbitre (le vouloir, la liberté) dont il faut toutefois préciser le lien à la nature. La question devient alors celle-ci : comment le mal peut-il vicier la nature humaine à partir du vouloir ? Mais la réflexion achoppe : le mal est et n'est pas par nature ; il dépend et il ne dépend pas de la volonté... Et en aucune façon, Dieu ne peut être à l'origine du mal. La corrélation en l'homme de la nature et de la volonté devient un pivot de la question du péché originel.

La réponse d'Augustin au manichéisme consiste à ramener toute la création par rapport à Dieu ; le mal n'est pas substance, il est défaut d'être et de bien. D'autre part, Augustin développe une conception historique du mal, adossée à la lecture littérale du récit de la Genèse. Il y a un commencement au mal ; il y a l'effet réel d'une volonté de l'homme. « C'est donc dans la volonté que commence le péché, mais là où commence le péché commence le mal, qui consiste soit à agir

13. Voir *Confessions*, V, X et VII, III.

contre un précepte juste, soit à souffrir selon un juste jugement [14]. »

Le refus du pélagianisme.

Pour les pélagiens, il s'agit de sauver la liberté de l'homme, et sa responsabilité, contre tout fatalisme de nature. Chacun est pour soi son propre Adam, commençant avec Dieu une histoire innocente ou coupable. Mais si l'on sauve ainsi la responsabilité libre de l'homme, ne rend-on pas vaines la rédemption par le Christ et l'efficacité du baptême ? Que faire d'un sauveur si l'homme est seul avec sa liberté ? Si le péché relève du libre arbitre, et de l'imitation des autres, il en va de même pour la grâce du Christ : elle a l'efficacité d'un exemple proposé à la liberté de l'homme, et nous sommes alors en plein moralisme...

La réflexion d'Augustin se trouve ainsi devant une double contrainte, un double défi : il faut maintenir l'origine historique et responsable du mal dans le péché d'Adam ; il faut maintenir l'universalité de la rédemption par le Christ et le conditionnement de la liberté affectée, sans tomber dans une culpabilité fatale de la nature humaine [15].

Pour en terminer avec ces éléments d'introduction, notons quelques points de repère de la doctrine augustinienne.

a. L'humanité actuelle commune est dans un état de déséquilibre généralisé et de confusion qu'on peut caractériser de la manière suivante. Cet état est « anormal » au sens où les humains n'ont pas été créés comme cela. C'est un état de *peine* lié à une faute (et à un châtiment). C'est pourtant un état *de la nature* puisqu'il concerne l'être-homme (l'humanité des humains). C'est un état théologal parce qu'il touche les liens de l'homme avec Dieu. C'est un état collectif qui concerne l'humanité dans son ensemble (le genre humain) et la constitue en unité confuse (la *massa damnata*). C'est un état qui non seulement dure, mais *se reproduit* et s'accroît de géné-

14. *Contra Faustum*, XXII, 22.

15. Selon H. Rondet (*Gratia Christi*, 1948, p. 140), il n'est pas sûr qu'Augustin ait réussi à tenir ce double défi. Pour sauver la transcendance de Dieu et la volonté universelle de salut, il aurait été conduit à des thèses redoutables sur la prédestination et l'efficacité de la grâce.

ration en génération, et qui concerne la transmission de l'humanité des humains.

b. À l'origine de cet état des humains, la faute d'Adam est une faute d'*orgueil*. Augustin définit très précisément la disposition anthropologique de l'orgueil. Il y a une volonté mauvaise qui précède tout acte mauvais; il y a au cœur de l'être créé, parce qu'il est créé, comme un *défaut d'être* et une pulsion de néant. Créé du néant, *ex nihilo*, l'être humain s'oriente vers le néant *ad nihilum*[16]. Cela n'est pas une nature (ou substance) en l'homme, mais un défaut, un vice *(vitium)* qui affecte la nature déjà là, bonne : le mal ne peut exister en nous sans le bien[17]. La nature bonne est donc la condition de la volonté mauvaise, mais cette volonté mauvaise fait qu'il y a un commencement au mal, une causalité déficiente pour le mal. Le péché originel s'anticipe en quelque sorte dans ce mal caché qu'Augustin appelle *orgueil*[18] : la nature humaine, qui se veut elle-même, s'absorbe («implose») dans le «vide» (ou le néant) dont le créateur l'avait tirée, autour duquel il l'avait fondée. Cette approche anthropologique fondamentale de l'orgueil oblige à reprendre en deçà de tout moralisme la question de l'autosuffisance, comme celle de la transgression de l'interdit. C'est la constitution, la structure de l'être créé qui sont ici en jeu[19].

c. La faute d'Adam s'inscrit dans la descendance. Parce que l'humanité est conçue comme «genre humain», l'être humain des hommes passe par (avec) la génération[20]. Tous sont présents virtuellement en Adam[21] dont la faute est telle qu'elle atteint la nature humaine dans la génération : «Ce qu'il est devenu par lui-même, il l'engendre[22].» La nature humaine ainsi marquée, et «déchue», est participante de la volonté d'Adam[23]. Le défaut d'être et l'affection (torsion) du vouloir qui le signale affectent la génération humaine comme une

16. *Contra Secundinum*, 11, 12.
17. *Cité de Dieu*, XIV, XI, 1.
18. *Cité de Dieu*, XIV, XIII, 1.
19. On pourrait rapprocher cette analyse de l'orgueil de ce que Jacques Lacan propose des rapports du sujet humain à «la Chose». Voir *Le Séminaire VII, L'Éthique de la psychanalyse*, Paris, Éd. du Seuil, 1986, p. 65, 145-146, 149-150 en particulier.
20. «Dieu veut unir les hommes non seulement par la similitude de nature, mais par les nœuds de la parenté» (*Cité de Dieu*, XIV, I, 1).
21. *Ibid.*, XIII, III.
22. *Ibid.*, XIV, XIII.
23. *Retract.*, I, XIII, 5; XV, 2.

caractéristique transmissible de l'humain. Tel pourrait être le point où pour tout humain naissant et mortel se pose la corrélation de la nature et de la volonté, le clivage de l'universalité de la nature et de la singularité du sujet. La question du péché originel, comme la question du salut en Jésus-Christ, se pose au point d'émergence, de naissance, d'un sujet dans l'humanité créée.

Ces quelques repères, qui dessinent déjà les contours d'une problématique, sont sans doute suffisants pour que nous abordions maintenant la lecture de quelques pages de l'*Enchiridion*.

Quelques pages du *Manuel*
(*Enchiridion* : VIII, 23-27 ; X, 33-34).

L'*Enchiridion*, ou le *Manuel*, est l'un des derniers écrits d'Augustin ; il aurait été écrit vers 421. Il se situe à ce moment de sa vie où la controverse avec les pélagiens le maintenait en contact avec les grands problèmes de la chute, de la grâce et de la prédestination. Comme l'écrit J. Rivière, dans l'introduction à la traduction de la Bibliothèque augustinienne, « l'opuscule est en parfaite situation pour exprimer ou refléter, sous leur forme la plus réfléchie, les thèses caractéristiques de son âge mûr ». Sa concision nous permet en outre de faire une lecture assez minutieuse des passages qui concernent spécifiquement le péché originel, au livre VIII qui analyse l'état de l'humanité dans le péché, et au livre X qui décrit la fonction du Christ médiateur. Nous avons utilisé en général la traduction de la Bibliothèque augustinienne (t. IX, 1947), la modifiant parfois pour une traduction plus littérale du latin.

VIII, 23. Cela étant dit, pour autant que le comportait la nécessaire brièveté (du présent ouvrage), dès là qu'il nous faut connaître les causes des choses bonnes et mauvaises dans la mesure qui suffit à la voie qui mène au royaume où seront la vie sans mort, la vérité sans erreur, le bonheur sans trouble, nous ne devons pas douter que la cause des choses bonnes qui nous concernent, soit uniquement la bonté de Dieu et celle des mauvaises, par rapport au bien immuable la volonté déficiente d'un bien muable, chez l'ange d'abord, chez l'homme après.

24. Tel est pour l'être raisonnable le premier mal, c'est-à-dire la

première privation de bien. Puis, mais alors contre notre gré, sont survenues l'ignorance de ce qu'il faut faire et la concupiscence de ce qui est nuisible. Comme compagnes se sont introduites l'erreur et la douleur. Lorsque sont sentis ces deux maux imminents, le mouvement de l'âme qui les fuit s'appelle la crainte. Et quand l'âme atteint ce qu'elle désire, quelque funeste ou vain qu'il puisse être, parce que l'erreur l'empêche de le sentir ou bien elle est vaincue par un plaisir maladif ou encore dissipée par une vaine joie. Autant de maladies qui sont comme des sources non d'abondance mais d'indigence : toute la misère de l'être raisonnable en découle, 25. sans que d'ailleurs cette nature au milieu de ses maux ait pu perdre l'appétit du bonheur.

Tous ces maux sont communs aux hommes et aux anges voués par leur malice à une juste condamnation de Dieu. L'homme cependant a une peine qui lui est propre, la mort du corps dont il est frappé.

Dieu en effet l'avait menacé du supplice de mort au cas où il viendrait à pécher, lui ayant ainsi accordé le libre arbitre de manière à le diriger par le gouvernement, à l'effrayer par la ruine. Et il l'avait placé dans un bonheur de paradis comme dans l'ombre de la vie, d'où s'il gardait la justice il s'élèverait à un meilleur.

26. Exilé de ce lieu après son péché, à sa descendance qu'en péchant il avait viciée dans sa racine, il imposa la peine de la mort et de la condamnation. Ainsi tout rejeton de lui et de son épouse également condamnée, par laquelle il avait péché, qui naîtrait par la voie de cette concupiscence charnelle où il trouvait une peine semblable à sa propre désobéissance, contracterait le péché originel, par lequel, à travers des erreurs et douleurs diverses, il serait entraîné à ce dernier supplice qui ne doit pas avoir de fin, avec les anges tombés, ses corrupteurs, ses maîtres et ses compagnons. « C'est ainsi que, par un seul homme, le péché est entré dans le monde, et par le péché la mort, qui, de la sorte, a passé dans tous les hommes (par celui) en qui tous ont péché. » En effet, l'Apôtre, en cet endroit, appelle monde l'ensemble du genre humain.

27. Telle était la situation. La masse damnée de tout le genre humain gisait dans les maux, ou même elle y roulait et d'un malheur se précipitait dans un autre ; et jointe à ceux des anges qui avaient failli, très justement elle portait la peine de sa criminelle désertion. À la juste colère de Dieu se rapporte tout ce que les méchants font de leur plein gré sous l'aveugle pression d'une concupiscence indomptable et toutes les peines visibles ou cachées qu'ils souffrent malgré eux. Non pas que la bonté du créateur cesse de conserver aux mauvais anges eux-mêmes la vie et l'activité : sans cette conservation ils périraient. Et les hommes, bien qu'ils naissent

d'une souche corrompue et condamnée, [Dieu ne cesse] d'en former les germes et de leur donner la vie, d'en ordonner les membres et, à travers les temps comme les espaces, d'en assurer le développement et l'alimentation. Car il a jugé meilleur de tirer le bien du mal que de ne permettre l'existence d'aucun mal.

Si par conséquent Dieu eût voulu qu'il n'y eût pour les hommes aucun relèvement, de même qu'il n'en est aucun pour les anges coupables, ne serait-ce pas à bon droit qu'une nature, après avoir abandonné Dieu, foulé aux pieds et transgressé, par le mauvais usage du pouvoir reçu de lui, un précepte de son créateur qu'il lui était facile d'observer, souillé en elle-même l'image de son auteur et se détournant obstinément de sa lumière, brisé en vertu d'une triste liberté la servitude salutaire à ses lois, eût été à jamais abandonnée par lui et eût subi la peine éternelle qu'elle avait méritée ? C'est à n'en pas douter ce que [Dieu] aurait fait s'il n'était que juste et non pas également miséricordieux et n'avait plutôt voulu montrer plus clairement sa miséricorde toute gratuite par la libération de ceux qui en étaient indignes.

IX. 28. Alors donc qu'une partie des anges, sous la poussée d'un orgueil impie, abandonnèrent Dieu et furent précipités des hauteurs du céleste séjour dans les profondeurs obscures de l'air qui nous entoure, le reste demeura auprès de Dieu dans un [état de] bonheur éternel et de sainteté. Car un ange déchu et condamné n'a pas donné naissance à d'autres, de telle sorte qu'à l'instar des hommes une déchéance originelle fît peser sur eux les liens d'une succession obérée et les entraînât tous à un juste châtiment. Mais lorsque celui qui est devenu le diable se fut révolté avec ses complices et fut abattu par le fait même de leur commune révolte, les autres s'attachèrent à Dieu dans un mouvement de pieuse obéissance et reçurent en outre, à la différence des premiers, [la grâce de] savoir avec certitude qu'ils étaient sûrs d'une stabilité sans fin et sans jamais d'accroc. [...]

X. 33. Ainsi donc le genre humain était tenu par une juste condamnation et tous étaient des fils de colère. Colère dont il est écrit : « Tous nos jours ont défailli et nous avons défailli nous-mêmes en raison de ta colère ; nos ans méditeront comme l'araignée. » De cette colère Job dit encore : « L'homme né de la femme n'a qu'une vie courte et pleine de colère. » Le Seigneur Jésus en dit également : « Celui qui croit au Fils a la vie éternelle ; quant à celui qui ne croit pas au Fils, il n'a pas la vie, mais la colère de Dieu demeure sur lui. » Il ne dit point : viendra, mais bien « demeure » ; car tout homme naît avec elle. C'est pourquoi l'Apôtre dit : « Nous étions nous-mêmes par nature fils de colère comme les autres. »

Tous les hommes étant voués à cette colère par le péché originel, d'une manière d'autant plus grave et d'autant plus funeste qu'ils en avaient ajouté de plus lourds et de plus nombreux, il leur fallait un médiateur, c'est-à-dire un réconciliateur, qui apaisât cette colère par l'offrande du sacrifice unique dont tous ceux de la Loi et des Prophètes étaient les ombres. D'où l'Apôtre dit : « Si alors que nous étions [ses] ennemis, nous avons été réconciliés avec Dieu par la mort de son Fils, à plus forte raison une fois réconciliés dans son sang, serons-nous sauvés de la colère par lui. » Lorsque d'ailleurs, Dieu est dit se mettre en colère, il ne s'agit pas d'un trouble tel que celui qui agite l'âme d'un homme irrité : en vertu d'une métaphore empruntée aux passions humaines, c'est sa vindicte qui est seulement juste qui reçoit le nom de colère.

Si donc nous sommes réconciliés avec Dieu par un médiateur et si nous recevons l'Esprit-Saint afin que d'ennemis nous devenions fils : « Tous ceux en effet qui sont mus par l'Esprit de Dieu, ceux-là sont fils de Dieu », nous le devons à la grâce de Dieu par Jésus-Christ notre Seigneur.

34. De ce médiateur il serait long de parler autant qu'il le mérite, sans compter qu'il n'est pas au pouvoir d'un homme d'en parler comme il le mériterait. Qui en effet saurait seulement expliquer en termes convenables que « le Verbe se fit chair et habita parmi nous », de telle façon que nous ayons à croire au Fils unique de Dieu le Père tout-puissant né du Saint-Esprit et de la Vierge Marie ?

Or le Verbe se fit chair, [en ce sens qu']une chair fut prise par la divinité, mais non pas que le divinité se soit changée en chair. Par chair il faut ici entendre un homme, la partie étant prise pour le tout dans cette expression, ainsi qu'il est dit : « Par les œuvres de la Loi ne sera justifiée aucune chair », c'est-à-dire aucun homme. Car à la nature humaine ainsi reçue on ne saurait dire qu'il ait rien manqué.

Mais il s'agit d'une nature libre de tout lien du péché. Non pas telle qu'elle naît de l'un et l'autre sexe par la concupiscence charnelle avec la charge d'une faute dont la coulpe est effacée par la régénération, mais telle que devait naître d'une vierge celui que la foi de sa mère et non point le plaisir avait conçu. Que si une telle naissance avait porté dommage à son intégrité, il ne serait, dès lors, pas né d'une vierge et il serait faux, ce qu'à Dieu ne plaise, de dire qu'il est né de la Vierge Marie, comme le confesse toute l'Église qui, à l'exemple de la mère de celui-ci, tous les jours enfante ses membres, et est vierge. Lis, si tu le juges bon, ma lettre sur la virginité de Marie, adressée à cet homme illustre que je nomme avec honneur et amour, savoir Volusien.

Après avoir (VIII, 23) spécifié la cause des biens en Dieu, et la cause des maux dans la déficience de la volonté, le texte déploie en parcours (VIII, 24-25a) la chaîne des conséquences de cette déficience pour les êtres raisonnables (anges et hommes). Il s'agit ensuite de préciser ce qui concerne en propre les hommes (VIII, 25b) : l'interdiction du péché et les conséquences de la faute (VIII, 26). L'état de déchéance dans lequel gît l'humanité est sans mesure avec la miséricorde de Dieu et son projet de salut (VIII, 27). Ici encore les humains ont une condition propre, différente de celle des anges (VIII, 28).

Dans la deuxième portion de texte que nous lisons, il s'agit de développer l'œuvre de salut du Christ, en montrant sa nécessité (X, 33) et en précisant comment le Christ est médiateur, étant le Verbe incarné (X, 34).

Ce texte manifeste les thèmes de la théorie augustinienne du péché originel que l'on retient habituellement et que nous avons mentionnés plus haut. Mais notre lecture cherchera à dégager ce que fait apparaître ici la mise en discours de ces thèmes et de ces figures. Ce texte semble situer les traits caractéristiques de l'humanité des hommes à partir d'une double corrélation, aux anges d'une part, qui sont avec l'homme des « créatures raisonnables », au Christ d'autre part, qui est médiateur parce que Verbe incarné. Cette double corrélation pose le propre de l'homme dans le statut corporel et charnel, et inscrit la marque du salut dans la spécificité de la génération humaine. Les hommes naissent dans la chair, et c'est là que pour eux péché originel et incarnation s'articulent. Le texte d'Augustin nous engage à lire le péché originel à la lumière de l'incarnation de la Parole, comme le point d'ancrage de la différence humaine dans la création.

La lecture de ce texte n'est pas très facile, du fait de sa densité. Nous suivrons autant que possible l'agencement des figures qui le tissent, en cherchant à montrer quelle logique en justifie l'organisation. Bien souvent notre lecture prendra appui sur des hypothèses anthropologiques qui tentent de rendre compte de la structure du sujet humain. Nous y sommes conduits par le discours d'Augustin lui-même pour autant qu'il élabore à ce niveau structural profond sa réflexion sur le péché originel.

La cause des biens et des maux (VIII, 23).

«Il nous faut connaître les causes des biens et des maux.» Le discours sur le péché originel répond à cette quête de savoir, mais le savoir est ici subordonné à un autre objectif qui le limite : «la voie qui mène au Royaume où seront la vie sans la mort, la vérité sans l'erreur, le bonheur sans trouble». Un but est fixé pour une marche. La connaissance des causes et le discours rationnel sur le péché originel ne proposent pas le Royaume comme objet pour un savoir, ils entretiennent la marche.

Quant aux biens (les «bonnes choses»), il n'y a pas d'autre cause que la bonté de Dieu, un terme posé qui n'est pas autrement analysé ou justifié. Du côté des maux, la cause n'est pas à chercher dans un principe symétrique (le mal), mais dans la structure même des créatures, caractérisées ici par «la volonté déficiente d'un bien changeant». La condition des anges et des hommes est située dans cet écart posé par le vouloir déficient. Le texte n'oppose pas de manière simple le bien immuable et les biens changeants. Le bien immuable n'est pas l'objet ultime que le vouloir devrait atteindre, il est le principe auquel répond dans la créature la volonté déficiente des biens changeants. La cause du désir n'est pas à confondre avec l'objet du désir.

Le texte situe ensuite comme le premier des maux pour la créature «la privation de bien», mais celle-ci doit être lue à partir de la distinction précédemment posée entre les deux catégories de bien, et dans leur rapport. Il y a privation de bien, et il y a le vouloir qui médiatise ce manque... mais la quête des biens changeants peut-elle combler sans reste l'écart avec le bien immuable ? Et ce bien est-il un objet-valeur dont l'acquisition suffirait à combler le sujet ?

La misère des créatures (VIII, 24-25).

Sur la base de ce dispositif, le paragraphe suivant en présente les implications, selon un véritable parcours analytique qui dévoile successivement les niveaux constitutifs du sujet créé tout en jalonnant le chemin de son évanescence. Ayant situé la volonté déficiente du bien changeant, le texte indique ce qui advient, en deçà du vouloir, du côté de l'involontaire et des ressorts du désir (*nolentibus, subintravit, subinferuntur*).

En deçà du vouloir, s'introduisent d'abord ignorance et concupiscence. Ces deux dispositifs ont trait à l'axiologie des valeurs (ce qu'il faut faire ou non, ce qui est bénéfique ou nuisible). Ignorance et concupiscence signalent la perte et l'inversion des repères, qu'ils soient de l'ordre du savoir ou de l'ordre du désir involontaire : la désorientation du sujet est sous-jacente au vouloir. On pose alors erreur et douleur qui reprennent les éléments précédents (l'erreur va avec l'ignorance, la douleur avec la concupiscence du nuisible) et en disent l'aboutissement et l'effet : le sujet pâtit de sa désorientation. On pourrait parler de symptômes auxquels le sujet réagit par la fuite et la crainte.

Le parcours s'ouvrait sur un vouloir visant un bien (manquant), il nous conduit maintenant à la fuite et à la crainte, non pas devant l'objet visé, mais devant les effets involontaires de sa privation. Ici apparaît la figure de l'âme et de ce qui, de fait, la meut. L'âme *(animus)* n'est pas, comme le vouloir, relative aux objets visés, elle est mue, en deçà, par les effets de la relation à l'objet, elle concerne la structure même du sujet humain.

Au terme de cet itinéraire se dévoile la vanité d'un désir relatif à l'objet (et au manque), mais sans référence à la loi. Il faudra pouvoir passer de l'écart entre bien immuable et bien changeant (qui caractérise, on l'a vu, les êtres créés) à la loi qui articule la différence de ces biens et la réfère à la source même des créatures. Au point où nous en sommes du parcours, quels que soient les objets atteints, le désir est vain, l'objet véritable du désir est « raté ». Le sujet ainsi défini s'évanouit dans la possession de l'objet acquis (dans la « délectation morbide » ou dans la « vaine joie ») ; et pourtant demeure l'« appétit de la béatitude » qui signale un autre statut du désir. Tout se passe comme si la source du désir était à découvrir ailleurs que dans la volonté déficiente, comme si la vérité et le bien du sujet résidaient ailleurs que dans la relation sujet-objet que médiatise le vouloir : l'appétit du bonheur (comme plus haut la voie du Royaume) ne trompe pas. Il est question d'un bien qui ne figure pas parmi les objets que le sujet se donne. L'écart entre bien immuable et bien changeant réapparaît ici, mais il est relatif à la structure de l'être créé.

La privation du bien avec ses conséquences, si on l'interprète en relation avec la déficience du vouloir chez les êtres créés, correspond pour Augustin à une « damnation » conforme à l'exacte justice de Dieu. Mais sur ce point survient la différence humaine : l'homme a une peine qui lui est propre, la mort du corps.

La condition humaine (VIII, 25b-27).

Les paragraphes suivants précisent la condition proprement humaine, ce qui fait la différence entre l'homme et l'ange : le corps mortel, l'instance de la loi, la génération dans la concupiscence et la possibilité du salut, toutes choses que les anges ignorent…

Le texte pose une première corrélation entre la mortalité du corps et la loi. La mort pour un humain n'est pas le terme d'un processus naturel ou biologique ; elle atteste l'ordre de la loi dans lequel il a été posé. La loi a deux figures ici : la menace de mort en cas de péché, le libre arbitre dont la loi pose les conditions (entre la règle d'un pouvoir et la peur de la sanction). Muni de cette liberté, et de cette loi à garder, l'homme dispose d'un lieu propre, « le bonheur du paradis ».

Cette figure ne représente pas ici un état de perfection de l'homme, ni la jouissance parfaite des biens, comme on s'y attendrait. Elle signale plutôt un lieu d'attente, virtuel : c'est « l'ombre de la vie » à partir de laquelle, gardant la justice, l'homme pourra accéder à des choses meilleures. La disposition initiale de l'humain est donc cette corrélation paradis-loi. La loi délimite le libre arbitre (entre ordre et menace), elle sépare en même temps la vie et la mort.

Par une transgression, des figures nouvelles se révèlent : alors que l'humain n'est plus à l'ombre de la vie, il est question de l'homme et de la femme, de la concupiscence, de la génération et de la transmission du péché originel ; il est question du réel du corps et du désir.

Le péché de l'homme n'est pas raconté, ni qualifié, on ne sait pas de quelle « faute » il s'agit exactement, mais on sait, après coup, que la concupiscence charnelle qui préside maintenant à la naissance des humains est, comme peine, homologable à cette faute originaire qui reste « insue » *(« in qua inobedientie poena similis retributa est »)*. Cette règle de la génération humaine, qui suppose la différence de l'homme et de la femme, et la concupiscence inscrite dans cette différence, atteste à chaque naissance d'humain la perte de cet état primitif où s'articulaient le maintien de la loi et l'ombre de la vie. La loi transgressée fait apparaître le réel du corps sexué, naissant et mortel; elle institue l'humanité comme « genre humain », comme humanité transmise par génération. C'est ainsi qu'Augustin interprète Rm 5, 12 : le péché est entré dans le monde et avec le péché la mort. Il s'agit, dit-il, du « genre humain ».

Les humains le sont donc par naissance (et non par nature, pourrait-on dire) ; la génération articule, dans le corps des humains, naître et mourir, homme et femme. L'humanité repose sur ces écarts, ces différences, ces défauts d'être, par où à chaque naissance, la concupiscence cherche à déjouer l'écart constitutif de la créature. Chaque naissance vient comme déjouer l'ordre de la création, la concupiscence venant accomplir dans la chair divisée des humains la déficience du vouloir qui caractérise les êtres raisonnables. Chaque naissance réinscrit la division dans la chair en voulant la combler. Elle pose les humains dans le réel du corps, mais c'est par là qu'ils sont « sauvables » car c'est là même que peut s'accomplir l'incarnation du Verbe, on le verra plus loin.

Le paragraphe VIII, 27 décrit cette situation de l'humanité comme « genre ». On y retrouve l'expression célèbre : « La masse damnée de tout le genre humain gisait dans les maux, ou même elle y roulait et d'un malheur se précipitait dans un autre. » À cet état de l'humanité correspondent dans le texte plusieurs figures de Dieu : la juste colère de Dieu, la bonté du Créateur, la miséricorde de Dieu. Il convient d'en organiser les différences.

Le genre humain vit, dans la peine, un « ratage » perpétuellement répété, chaque naissance reproduisant et attestant le défaut de vouloir originel. À cet état correspond la figure du Dieu- « colère ». Il ne s'agit pas, Augustin nous en prévient, de décrire la psychologie de Dieu, mais de caractériser un rôle, ou une forme de l'altérité de Dieu. Dieu est découvert comme colère lorsque la chair en souffre sans que soit audible une parole pour signifier ce manque : « à la juste colère de Dieu se rapporte certes tout le mal commis et le mal subi ».

Mais cet état de l'humanité en peine, c'est aussi celui dans lequel la vie s'entretient, et dans lequel l'humanité se transmet. La conservation de la vie est referée à la bonté du Créateur qui forme les germes, anime, assure l'organisation de l'espace et du temps. Dieu assure tout ce qu'il faut pour que vivent des humains, et pourtant l'humanité des humains se justifie autrement, entre péché et salut, entre Dieu-colère et Dieu-miséricorde.

La miséricorde de Dieu outrepasse la justice et l'ordre de la loi, en faveur des humains, alors qu'il n'y a pas de relèvement *(reformatio)* pour les anges. Il faut donc envisager un dépassement de la loi de la part de Dieu, comme il y a eu pour les humains une transgression de la loi (pour les anges, il n'y a pas de loi). Pour les humains, cette transgression fait passer de l'ombre de la vie (bonheur du paradis) au réel de la vie dans un corps naissant et mortel. Quelque chose du réel est venu ouvrir une brèche dans l'ordre de la loi. La miséricorde de Dieu est homologable à ce dispositif, elle entame, elle aussi, l'ordre de la loi (« si Dieu n'était que juste »). Dieu n'est pas seulement la force d'entretien des vivants, pourvoyant à leurs besoins vitaux ; il n'est pas seulement la Référence d'un ordre symbolique (loi) rigoureusement articulé, il est « Miséricorde », il est lui aussi inscrit dans le réel, ce qui peut faire comprendre que, plus loin, Augustin parle de l'incarnation comme du statut caractéristique du sauveur. La miséricorde, la gratuité, sont les traits de Dieu qui correspondent à ce qui fait la spécificité de l'humain, qui seul peut être sauvé, dans la chair. Le paragraphe IX, 28 en revenant sur le sujet des anges, souligne cette différence : l'ange déchu n'a pas comme l'homme de descendance. Les anges sont « distribués » comme dans une taxinomie, les uns précipités « dans les profondeurs obscures de l'air qui nous entoure », les autres demeurant auprès de Dieu dans le bonheur éternel et la sainteté. Les anges sont ordonnés, mais ils n'ont pas d'histoire.

Pour analyser l'état de l'humanité soumise au péché originel, Augustin déploie une structure de l'humain qui marque une différence avec cette autre part des créatures raisonnables que sont les anges. Toutes les créatures raisonnables supportent l'écart de la création (défaillance du vouloir d'un bien changeant par rapport au bien immuable) comme un mal qui les voue à la condamnation, et les conduit à l'évanescence de l'âme, où le désir demeure tout en s'épuisant dans les objets qu'il se donne. Pour les humains, cet écart est référé à l'instance symbolique de la loi qui articule un sujet du libre arbitre à l'ombre de la vie. À la limite de cet ordre, trangressé, surgit le réel de la chair divisée ; l'humanité des humains se déploie dans la lignée des générations, et se transmet au point limite de la loi et de la chair, situant chaque humain naissant dans le « défaut » de cette impossible corrélation. Pour toutes les créatures raisonnables, l'appétit du bonheur supporte le défaut d'articulation de l'imaginaire et du symbolique, si aucune loi (ou parole) ne vient dire l'écart entre le bien immuable (qui n'est pas un objet pour le désir) et les biens changeants où s'investit la volonté déficiente ; pour les humains, il est aussi, en plus, question du défaut d'articulation entre le symbolique (de la loi) et le réel (de la chair), mais c'est dans la chair même que peut survenir la « médiation » qui opère le nouage de ces trois instances.

Médiation et incarnation (X, 33-34).

Les passages que nous avons commentés nous semblent suffire pour caractériser la structure de l'humanité affectée par le péché originel. Abordons à présent quelques paragraphes du livre X qui développent la nécessité d'un médiateur du salut et les conditions nécessaires à cette médiation[24].

Le paragraphe X, 33 rappelle ce que nous avons lu plus haut : « Ainsi donc le genre humain était tenu par une juste condamnation » ; mais il introduit un élément nouveau : la *filiation*. Si l'humanité se déploie dans la génération, il appartient à chacun d'être fils. Le péché originel correspond à un

24. Je laisse donc à part dans cette lecture une portion du texte d'Augustin (IX. 28 – X. 32) qui mériterait une analyse plus détaillée en raison des figures parfois surprenantes qu'elle manifeste. Les paragraphes 28 et 29 concernent les *anges*. Ils sont dans un état qu'on pourrait dire *inamovible* : une partie d'entre eux, qui a déserté Dieu, a été précipitée « dans les profondeurs obscures de l'air qui nous entoure » sans possibilité de retour, le reste demeure auprès de Dieu dans un état éternel de bonheur et de sainteté. Les *humains* ont une autre histoire… « Ayant tous péri sous le coup des péchés et des supplices, soit originels soit personnels, qui pesaient sur eux, une partie en serait relevée, qui comblerait les vides creusés dans la société angélique par la chute des démons, car il a été promis aux saints qu'à la résurrection ils égaleront les anges de Dieu (Lc 20, 36) ». Les paragraphes 30 à 32 traitent de la gratuité de la grâce dans le relèvement des humains : « La bonne volonté de l'homme précède plusieurs dons de Dieu, mais non pas tous. Or, parmi ceux qu'elle ne précède pas, se trouve elle-même. […] Celui qui ne veut pas, la miséricorde [de Dieu] le prévient pour qu'il veuille ; celui qui veut, elle le suit pour qu'il ne veuille pas en vain » (X. 32). Le paragraphe 33 introduit pour le salut des humains la nécessité d'un médiateur.

régime particulier de la filiation : la colère (« tous étaient fils de colère »). Comme plus haut (VIII, 27) à propos de Dieu, la colère ne décrit pas un comportement psychologique, mais un état structural de l'humanité filiale. Les citations qui tissent le discours développent les dimensions de cette structure : la colère concerne les humains en tant qu'ils naissent « de la femme » ; elle n'est pas un châtiment futur, mais elle opère au principe même de la vie de chacun, elle concerne la modalité selon laquelle chacun a la vie : quel rapport chaque humain a-t-il nativement avec la vie ? La filiation dans la colère est opposée ici à un autre régime : « croire au Fils [de Dieu] » conduit à « être fils de Dieu », sauvé de la colère.

Il convient d'interpréter cette opposition. La colère concerne l'articulation de la chair et de la loi, mais comme dissociées. La chair opère dans la génération (concupiscence) et comme « hors la loi », mais cependant sous le coup de la loi, comme la transgressant ; on est dans une logique de contradiction : ou la loi, ou la chair. La colère serait alors l'image de la loi pour la chair qui la méconnaît, n'étant peut-être animée que par le souci de la vie à posséder et à reproduire comme un bien appropriable. La génération est mue par la peur de perdre et le souci d'avoir la vie. Les citations du psaume et de Job parlent de la vie courte et du trouble. La loi est à distance, comme une menace contre la vie de la chair, la vie se garde à l'ombre de la mort. D'un autre côté, il est question de « croire au Fils », d'être réconciliés par sa mort et d'obtenir la « vie éternelle ». On peut mesurer les différences avec le dispositif précédent. Cette filiation-là est à croire plus qu'à tenir ou à savoir, elle inscrit la mort au cœur de la vie plus qu'elle n'en fait la menace dont la génération (la reproduction) humaine nous prémunirait, elle fait paraître dans la filiation humaine une trace d'altérité (il s'agit d'être fils de Dieu) ; elle pose dans la répétition des générations l'événement unique d'un Fils et d'une mort en Jésus-Christ Notre-Seigneur. Suivant notre hypothèse de lecture, on pourrait suggérer que la filiation divine pour tous, signifiée et réalisée à partir de Jésus-Christ, correspond à l'articulation de la chair et de la loi, cette dernière n'étant plus perçue du point de vue de la chair seule, comme la menace du châtiment, mais du point de vue de cette articulation même, comme attestation de la parole qui vient à la chair pour faire naître des fils. Cette filiation fait événement dans l'ordre des générations ; comme l'indique plus loin Augustin (XII, 39-40) :

« Tout ce qui naît de quelqu'un ne peut pas être également dit son fils. »

Précisant la structure du médiateur, le discours d'Augustin parle d'incarnation. Ces deux figures sont conformes pour lui, s'il est vrai qu'il s'agit du nouage en l'homme de la chair et de la loi, et de ce que ce lien présuppose des relations de l'homme à Dieu.

Présentant la médiation opérée par Jésus-Christ, Augustin ne développe pas ici un discours sur la rédemption, le sacrifice ou le rachat. Ces éléments sont posés (« il fallait un médiateur, c'est-à-dire un réconciliateur qui apaisât cette colère par l'offrande du sacrifice unique ») mais dans la mesure où l'on ne cède pas ici à la description psychologique de la colère et de la réconciliation, c'est en termes de structure qu'on rend compte de la médiation.

Parlant d'incarnation, le texte note qu'on atteint l'inexprimable : « Il n'est pas au pouvoir d'un homme d'en parler dignement. Car qui expliquerait en termes convenables seulement ceci que le Verbe s'est fait chair. » L'incarnation du Verbe en Jésus-Christ vient en effet ouvrir une brèche dans les générations humaines. Elle n'est pas traitée ici en termes de nature humaine et divine, mais comme mystère de naissance où l'homme se trouve justifié sans être pris dans l'alternative entre obéissance et transgression par rapport à la loi. Cette naissance est humaine, elle n'est pas *originée* dans la concupiscence, mais dans la foi (« sa naissance était due à la foi de sa mère et non au plaisir »). L'écart posé ici entre foi et plaisir *(libido)* mérite attention : il ne s'agit sans doute pas d'opposer des attitudes morales, mais de révéler au cœur de l'humanité, et des générations humaines, un désir autre que celui de la différence entre homme et femme, un désir autre qui permet d'articuler la chair de l'humanité à la parole[25].

La mise en discours du péché originel dans ce texte d'Augustin n'oppose pas de façon symétrique le péché et le salut, elle ne se résout pas dans un récit linéaire de la création, de la chute et de la restauration de l'homme. Le discours théolo-

25. Ces lignes d'Augustin sont une lecture très précise du récit de l'Annonciation en Lc 1. Sur ce récit, et sur la *virginité* de Marie, voir L. PANIER, *La Naissance du Fils de Dieu*, Paris, Éd. du Cerf, 1991.

gique développe plutôt l'analyse fine d'une structure d'humanité des hommes où prend place l'altérité de Dieu. Comment se vit et se révèle l'altérité de Dieu pour une humanité comprise comme «genre» et non pas comme «nature»; comment l'humanité des humains, en tant qu'elle est marquée par l'altérité de Dieu, se transmet-elle dans la chair au fil des générations humaines; à quelles conditions la filiation divine peut-elle se révéler dans la filiation humaine?

On reproche souvent à Augustin le pessimisme qui l'aurait conduit à attacher aux pieds de la théologie chrétienne le boulet du péché originel, et on se plaît à rêver d'une tradition chrétienne dégagée de ce «handicap»... La lecture de ces pages porte plutôt à admirer la pertinence de l'analyse des structures profondes du sujet humain. La théorie du péché originel, initial et transmis à tous, met en lumière l'énigme du sujet humain né dans la chair et révélé fils de Dieu. Le péché originel n'est pas un événement malheureux que la venue du Christ permettrait d'oublier. Posé à l'origine et à chaque génération, il manifeste quelles sont les conditions subjectives et structurales du salut, quelles sont les conditions de l'humanité qui rendent signifiable (signifiant) le salut attaché à la confession du Fils de Dieu. Le péché originel n'est pas le manque de quelque chose que le salut apporterait pour qu'il n'y ait plus de manque dans l'homme, il est l'avènement (singulier et répété) d'une structure humaine telle que le nom du Fils de Dieu puisse en signifier et nommer le nouage.

Le texte d'Augustin déploie clairement cette structure, entre les objets que le désir se donne, la chair et la loi, structure qui laisse ouvert le mystère de sa structuration (de son nouage), et qu'aucun des termes ne parvient à saturer, ni la quête des objets par un vouloir déficient, ni l'ordre de la loi délimitant l'ombre de la vie, ni la puissance de la chair. Le défaut de structuration est péché, eu égard à la loi, évanescence, eu égard au désir d'objet, prise en masse et colère, eu égard à la chair. L'incarnation du Verbe, réalisée en Jésus-Christ, atteste la vérité de cette structuration et sa pertinence pour tous; elle lui donne un nom («Fils de Dieu»), mais sous ce nom, elle la laisse hors de prise, à croire dans un acte où l'homme se fie à la parole.

3

Le décret du concile de Trente

Le décret sur le péché originel, promulgué le 17 juin 1546 par le concile de Trente, représente la formulation la plus précise de la doctrine ; c'est à partir de cette expression du magistère de l'Église que l'on parle en général du « dogme » du péché originel. Je propose ici de lire ce texte dogmatique pour en saisir l'organisation du sens. Mais auparavant, jetons un rapide coup d'œil sur les réflexions théologiques qui ont marqué la période médiévale et la Réforme, et dont la trace se retrouve dans l'écriture du concile de Trente.

Bref aperçu sur les théologies médiévales.

On peut résumer – sans doute abusivement – la réflexion médiévale sur le péché originel par la question suivante : qu'est-ce que le péché originel en l'homme ? Le débat ne porte pas sur l'origine, mais sur l'essence de ce péché. Deux lignes d'interprétation sont en débat, dont saint Thomas d'Aquin tente une synthèse. Mais ces positions théologiques sont remises en question la Réforme. On trouvera ici quelques points de repères entre ces différentes positions théologiques.

L'interprétation de saint Anselme.

À partir de la réflexion théologique de saint Anselme de Cantorbéry († 1109), le péché originel est abordé en termes de justice. C'est en l'homme une privation de la justice originelle qui avait été accordée par grâce de Dieu au premier homme. Cette justice qu'Adam a perdue par sa faute reste perdue pour tous les autres après lui. À sa descendance, il transmet cette perte de justice. Le péché originel se situe donc dans la relation entre Dieu et l'homme, qu'on schématise ici dans le cadre juridique de la société féodale : « Si un soldat reçoit du roi un fief héréditaire, et que, par la suite, il se rend coupable envers le roi, il perdra son fief pour lui-même et pour ses descendants après lui [1]. »

La nature humaine, dans son état primitif, était donc surélevée par un don surnaturel, par un don de grâce. Après la faute, la nature humaine commune doit être comprise comme privée de cette grâce ; ainsi, la nature « naturelle » de l'homme est-elle toujours posée dans un rapport à la grâce surnaturelle : le don et la perte médiatisent la relation à Dieu. Celle-ci est représentée sous un mode juridique qui fournira également le cadre d'une réflexion sur la rédemption.

L'interprétation de Pierre Lombard.

Pierre Lombard († 1160) développe, à la suite d'Augustin, une interprétation anthropologique, et morale. Le péché originel concerne l'existence même de l'homme charnel, il réside dans la concupiscence. Pierre Lombard précise : « Le foyer du péché, c'est-à-dire la concupiscence, ou la concupiscibilité, ce qu'on appelle la loi des membres, ou faiblesse de la nature, le tyran qui est dans nos membres, ou la loi de la chair [2]. » Le péché originel se transmet à tous à partir d'Adam par la génération charnelle et concupiscente [3], il ne concerne pas seulement l'histoire de la relation de la nature humaine à Dieu, ou l'héritage d'une perte de la grâce, il opère dans l'existence humaine elle-même. Le péché originel est une réalité anthropologique.

La synthèse de saint Thomas d'Aquin.

Saint Thomas d'Aquin articule les deux lignes d'interprétation précédentes en distinguant la matière et la forme du péché originel : la concupiscence est la matière du péché ori-

1. A.-M. Dubarle, *Le Péché originel : perspectives théologiques*, Paris, Éd. du Cerf, 1983, p. 59.
2. *Sentences*, livre II, xxx, 8.
3. *Sentences*, livre II, xxx, 5.

ginel, le défaut de justice en est la forme. Thomas d'Aquin explique :

> Toute chose est déterminée spécifiquement par sa forme. D'autre part, nous venons de dire que ce qui détermine spécifiquement le péché originel, c'est sa cause. Il faut donc que ce qu'il y a de formel en lui soit défini par cette cause. Mais comme des choses opposées ont des causes opposées, il y a lieu par conséquent de définir la cause du péché originel par celle de la justice originelle qui en est l'opposé. Or tout le plan de la justice originelle tient à ceci que la volonté de l'homme était soumise à Dieu. Cette soumission se faisait avant tout et principalement par la volonté parce que c'est à elle qu'il appartient, nous le savons, de mouvoir à leur fin toutes les autres parties de l'âme : aussi est-ce la volonté qui, en se détournant de Dieu, a amené le désordre dans toutes les autres facultés. Ainsi donc, la privation de cette justice par laquelle la volonté demeurait soumise à Dieu est ce qu'il y a de formel dans le péché originel : tout autre désordre des facultés de l'âme se présente en ce péché comme élément matériel. Mais ce qui constitue ce désordre des autres facultés, c'est surtout qu'elles sont tournées outre mesure vers les biens périssables. Et c'est là le désordre auquel on peut donner le nom général de concupiscence. De sorte que le péché originel est matériellement la concupiscence mais formellement l'absence de justice [4].

Le péché originel atteint, comme péché, l'humanité tout entière car celle-ci, reférée à Adam, constitue un seul corps lié à la volonté du premier père («les multiples humains dérivés d'Adam sont comme autant de membres d'un seul et unique corps [5]»). La faute imputable à la volonté du premier homme atteint donc tous les membres de ce corps d'humanité, en tant qu'ils sont des humains (c'est un péché de nature) référés à cette volonté, et non en tant qu'individus particuliers (péché de la personne). Ainsi le péché originel concerne-t-il l'humanité de (et dans) chaque humain; il touche en chaque sujet humain un niveau du vouloir situé en deçà de la volonté particulière de la personne, un «vouloir-être-homme» qui affecte en chacun la nature humaine commune.

C'est à ce niveau *profond* et constitutif que sont inscrits le don de la grâce et la justice originelle. Saint Thomas décrit la

4. *Somme théologique*, Ia IIae, q. 82 a. 3.
5. *Somme théologique*, Ia IIae, q. 81 a. 1.

justice originelle dans l'homme comme une hiérarchie des puissances et des facultés, assujetties à la partie supérieure et raisonnable (volonté) dans la mesure où celle-ci est elle-même soumise à Dieu d'une soumission surnaturelle[6]. Le thème de la justice originelle définit donc un point limite d'articulation théo-anthropologique, d'une articulation, difficile à tenir, de la structure d'humanité à l'altérité de Dieu. En insistant sur la justice primitive (et surnaturelle) et sur la privation actuelle (et naturelle), la théologie médiévale s'exposait à des risques d'expansion imaginaire de l'état paradisiaque de l'homme; elle risquait également de faire de la grâce primitive un surplus facultatif, une gratuité non indispensable à l'être-homme. Les penseurs de la Réforme réagiront sur ce point en insistant sur l'impact existentiel du péché originel sur la structure de l'humain.

La position luthérienne.

La critique luthérienne fait appel à un critère expérimental de la foi, et à la conscience religieuse du mal et du péché : il y a dans l'homme une aptitude, une tendance fondamentale au mal, le péché originel en est la source. Luther explique :

Qu'est-ce que le péché originel? Premièrement, selon les définitions subtiles des théologiens scolastiques, il est le manque ou l'absence de justice originelle [...] Secondement, mais d'après l'Apôtre [Paul], et d'après le sens simple en Jésus-Christ, il n'est pas la simple absence d'une qualité dans la volonté, pas davantage la perte de la lumière de l'intelligence, de la vigueur de la pensée, mais l'absence totale de justice et des facultés de toutes les forces du corps comme de l'âme et de l'homme tout entier, intérieur et extérieur. Et en plus de cela la tendance vers le mal, le dégoût du bien, la résistance contre la lumière et la sagesse et l'amour de l'erreur et de la ténèbre, la fuite et l'horreur devant les bonnes œuvres et la poursuite du mal... C'est donc bien comme les anciens saints Pères l'avaient justement dit : ce péché originel n'est rien d'autre que

6. «La privation d'un bienfait consécutive à la faute en est le châtiment. Or dans l'homme créé par Dieu, les passions étaient soumises à la raison et le corps à l'âme par un privilège qui devait durer aussi longtemps que l'âme elle-même resterait soumise à Dieu. Mais du moment qu'elle cessa de l'être par le péché, les passions cessèrent par le fait même d'être totalement soumises à la raison, et le corps à l'âme. Telle est l'origine de la mort et des autres infirmités.» (*Somme théologique*, IIa IIae, q. 164 a. 1).

l'« amadou », la loi de la chair, la loi du corps, la faiblesse de la nature, le tyran, la maladie héréditaire[7]...

On reconnaît ici, radicalisée, la ligne d'interprétation de Pierre Lombard (et d'Augustin). C'est dans l'homme actuellement qu'est le péché originel, et pas seulement dans l'écart avec un état primitif surnaturel; il n'y a pas qu'une faiblesse relative aux passions et au déséquilibre dû à la faute initiale, il y a une impossibilité radicale et absolue de l'homme à faire présentement le bien[8].

Cette tendance au mal demeure, même chez les baptisés *(simul peccator et justus)*, même chez les saints : « Celui-là en effet possède la justice qui se considère par Dieu comme juste par pure miséricorde ayant reconnu son injustice, et invoque la justice de Dieu[9] ».

La position radicale de Luther réoriente la problématique du péché et de la justification : si le péché originel demeure en l'homme, que vient faire réellement la justification? Elle est toujours « justification-du-pécheur » : Luther distingue le péché comme acte *(actus peccati)* et la culpabilité encourue pour cet acte *(reactus peccati)*. Chez le baptisé, la culpabilité n'est pas imputée (Luther s'appuie sur Rm 8, 1 « il n'y a maintenant plus de condamnation pour ceux qui sont dans le Christ Jésus »), mais le péché demeure, pas seulement comme

7. Martin LUTHER, *Vorlesung Über den Römerbrief 1515-1516*, Darmstadt, 1960, t. I, p. 343-345.

8. On trouverait dans l'*Institution chrétienne* de Calvin une position semblable. « Nous dirons donc que le péché originel est une corruption et perversité héréditaire de nostre nature, laquelle étant épandue sur toutes les parties de l'âme, nous fait coulpables premièrement de l'ire de Dieu, puis après avoir produit en nous les œuvres que l'Écriture appelle Œuvres de la chair. Et est proprement cela que saint Paul appelle souvent es fois Péché, sans adiouster Originel [...] Il nous faudra distinctement considérer ces deux choses, c'est assavoir que nous sommes tellement corrompus en toutes les parties de nostre nature, que pour ceste corruption nous sommes à bonne cause damnables devant Dieu, auquel rien n'est agréable sinon iustice, innocence et pureté. Et ne faut dire que ceste obligation soit causée de la faute d'autruy seulement, comme si nous respondions pour les péché de nostre premier père sans avoir rien mérité. Car en ce qui est dit, que par Adam nous sommes faits redevables au iugement de Dieu, ce n'est pas à dire que nous sommes innocens, et sans avoir mérité aucune peine, nous portions la folle-enchère de son péché; mais pour ce que par sa transgression nous sommes tous enveloppez de confusion, il est dit nous avoir tous obligez. Toute fois nous ne devons entendre qu'il nous ait constituez seulement redevables de la peine, sans nous avoir communiqué son péché... (Édition de 1560, livre II, chap. 1, 8). »

9. M. LUTHER, *op. cit.*, p. 289.

faiblesse, infirmité ou peine, mais comme *péché*. Le pardon est non-imputation de la faute, mais n'est pas suppression du péché. La concupiscence qui demeure en l'homme reste un péché, car toute convoitise transgresse le commandement de Dieu (« tu ne convoiteras pas ») avant même que la volonté le ratifie.

Luther introduit ici la notion de *serf arbitre* pour caractériser le statut de l'homme pécheur. Érasme refuse cette conception luthérienne dans son *Traité sur le libre arbitre* (1534) : le péché ne peut entraîner une corruption totale de la nature humaine ; s'il y a en nous un péché « en Adam », ce ne peut être que par imitation de son mauvais exemple. Sur ce point, le concile de Trente prendra position contre Érasme en rappelant que le péché originel se transmet par propagation héréditaire et non par imitation ; mais il s'opposera également à Luther au sujet de la justification : « Le péché est enlevé et pas seulement rasé ou non imputé. » Dans la radicalité de ses expressions, la conception luthérienne du péché originel s'oppose à la stabilité neutre de la « nature humaine » pour mettre en avant l'existence du sujet qui dans la foi ne se soutient que de l'altérité de Dieu, sur laquelle il n'a aucune prise et pour laquelle il n'y a aucune contrepartie. Encore une fois il nous apparaît que la question du péché originel et les débats qu'elle soulève soulignent dans la réalité de l'homme une corrélation, difficile à cerner, de la condition de la nature et du statut du sujet.

Le décret du concile de Trente.

Les pages qui précèdent ne prétendent qu'à dessiner grossièrement les contours des problématiques théologiques et des débats qui forment le contexte théorique et historique du décret du concile de Trente que nous commenterons ici. La lecture proposée s'intéressera au texte lui-même plutôt qu'à son contexte historique ou culturel. Comment ce texte dit-il ce qu'il dit ? Quelle forme propose-t-il au contenu qu'il articule ? Comment met-il « en discours » le péché originel ?

La rhétorique du texte en rend la lecture difficile. Au fil des paragraphes, il fixe des « anathèmes », et exprime plus ce qu'il rejette que ce qu'il propose comme une doctrine construite du péché originel. Toutefois les barrières posées et les propositions réfutées dégagent l'orientation d'un parcours théologique et une place pour l'interprétation.

Après un préambule [10], le décret se compose de six canons. Le premier concerne l'origine du péché originel en Adam, le second ses conséquences sur tous les hommes issus d'Adam. Le troisième concerne l'œuvre de salut du Christ, le quatrième la fonction du baptême pour les petits enfants. Le cinquième définit le statut des baptisés face au péché originel et à ses effets dans l'homme. Le sixième rappelle la place singulière de la Vierge Marie. Plutôt que de rechercher les références historiques et théologiques de chacune de ses propositions [11], je reprendrai la succession des six canons en observant comment le discours du concile agence singulièrement la narration, les thèmes et les figures. Le texte du décret n'est donc pas seulement le témoin d'une théologie particulière à son époque, il est, comme tous les textes, dans sa cohérence et son opacité, la manifestation d'un contenu de sens qu'il convient de décrire. Là encore, nous ne pouvons juger de la pertinence de ce discours à partir de ce que nous imaginons savoir du péché originel dont il est question. Il faut lire, et tenter de comprendre. Lisons donc successivement les six canons qui composent ce décret.

Le péché d'Adam.

Si quelqu'un ne confesse pas qu'Adam, le premier homme, après avoir transgressé le commandement de Dieu dans le paradis, perdit immédiatement la sainteté et la justice dans lesquelles il avait été établi, et encourut, par le dommage résultant de cette prévarication,

10. « Pour que notre foi catholique "sans laquelle il est impossible de plaire à Dieu" demeure intègre et sans tache dans sa pureté, exempte d'erreurs, et pour que le peuple chrétien "ne soit pas emporté à tout vent de doctrine", alors que l'antique Serpent, l'ennemi perpétuel du genre humain, parmi bien des maux qui de nos jours troublent l'Église, non seulement a fait surgir de nouvelles querelles, mais encore a réveillé les vieilles aussi à propos du péché originel et de son remède, le saint concile de Trente, général et œcuménique, réuni légitimement dans l'Esprit-Saint, sous la présidence des trois légats du Siège apostolique, voulant désormais entreprendre de ramener ceux qui errent et d'affermir ceux qui vacillent, en suivant le témoignage des saintes Écritures, des saints Pères et des Conciles les plus approuvés, ainsi que le jugement et le consentement de l'Église elle-même, décide, confesse et déclare ce qui suit sur le péché originel. »

11. Pour ce type de recherche, nous renvoyons à A. VANNESTE, : « La préhistoire du décret du Concile de Trente sur le péché originel », *Nouvelle Revue théologique*, n° 87, 1964, p. 355-368, 490-510, et « Le décret du concile de Trente sur le péché originel », *Nouvelle Revue théologique*, n° 87, 1965, p. 688-726, n° 88, 1966, p. 581-602.

la colère et l'indignation de Dieu, et par suite, la mort dont Dieu l'avait auparavant menacé et, avec la mort, la servitude sous le pouvoir de celui «qui depuis possède l'empire de la mort», c'est-à-dire le diable; et que «par l'offense résultant de cette prévarication, Adam tout entier, dans son corps et dans son âme, a été changé en un état pire», qu'il soit anathème.

Ce premier canon est centré sur Adam, sa situation initiale et les conséquences de son méfait. Nous avons déjà rencontré cette structure narrative élémentaire[12] ; observons plutôt les figures que cette forme narrative dispose, organise et interprète.

Le texte pose d'abord la figure d'*Adam*. Cet acteur est défini spécifiquement par un lieu (le *paradis*) et par un statut : il est «le *premier* homme». Sa position singulière dans la série des humains est corrélative d'une relation particulière à Dieu, que signalent deux figures du texte : le *commandement* et l'*établissement* (dans la *sainteté* et la *justice*).

Le commandement peut être une figure de la parole adressée, mais il n'a pas ici d'objet ou de contenu particulier : le texte ne dit pas ce qui est ordonné ou interdit de faire, il définit seulement l'homme comme premier sous une loi. Sans doute tout lecteur de ce texte a-t-il en mémoire le récit du livre de la Genèse et le contenu de l'interdit dans ce récit (à propos des arbres du jardin). Mais le discours du concile de Trente n'a pas retenu ce contenu de l'interdit et il faut sans doute résister à l'envie d'en projeter les figures dans ce texte-ci. L'établissement introduit une double donnée statutaire : sainteté et justice[13]. Mais ces deux figures ne sont pas développées ici, on ne décrit pas un «état paradisiaque» d'Adam. Le texte mentionne sainteté et justice... lorsqu'elles sont perdues, mais il ne s'agit pas de biens possédés comme des objets-valeurs pour l'homme, il s'agit plutôt des deux «titres» qui qualifient cet homme, ce qu'on pourrait appeler les *signi-*

12. Dans *Morphologie du conte*, Vladimir Propp analyse ces structures élémentaires : le «méfait» est l'une des premières fonctions constitutives du récit, où l'on trouve la séquence «mandement-méfait». Et la suite du conte développe les phases nécessaires à la restauration de l'état initial.

13. Avant de pouvoir interpréter chacune de ces deux figures pour elle-même, on peut au moins constater qu'il y en a deux : il faut deux figures pour signifier le statut du premier homme. Nous retrouverons dans d'autres passages du décret une telle duplication des termes figuratifs.

fiants d'une place singulière, unique (il n'y en a qu'un seul à être le *premier* parmi les humains) et relative à l'altérité de Dieu qui confère cette place. L'homme premier est situé, il a un statut, un partenaire et une loi pour garantir cette place.

Dans ce récit, le premier acte que pose l'homme, c'est la transgression du commandement ; ici encore le texte ne raconte pas et ne décrit pas cette « faute », il l'enregistre comme réalisée (« après avoir transgressé ») et il en note les conséquences. Celles-ci prennent sens par rapport au statut de premier homme que le commandement garantissait préalablement. La transgression est un commencement qui *décale* la position du premier homme.

Les conséquences de cette transgression portent d'abord sur le statut relatif des acteurs (homme et Dieu). *Sainteté* et *justice* (deux figures) sont perdues pour l'homme ; du côté de Dieu apparaissent *colère* et *indignation* (deux figures) ; un nouveau champ de relation est ouvert entre Dieu et l'homme. Puis vient, pour l'homme, la *mort*, que le texte définit de deux manières. La mort est d'une part liée à la « menace », et donc au couple commandement-transgression. Par là, elle rappelle l'ordre de la loi posé au début. Elle est d'autre part liée à « la servitude sous le pouvoir du diable ». Le texte fait ainsi apparaître en plus de l'instance de la *loi* (commandement-transgression) l'instance du *pouvoir* (empire-servitude). La mort est ici le lieu d'articulation de ces deux ordres : la transgression de la loi donne accès au régime du pouvoir. Le champ de référence qui définit et garantit le statut de l'homme est ainsi transformé : sa mortalité atteste une double référence. Il y a une version humaine de la mort.

Au terme de ce premier canon, le texte redéfinit Adam : « Adam tout entier, dans son corps et dans son âme ». On peut faire l'hypothèse que cette nouvelle figuration répond à la figuration de cet acteur au début du texte. Inscrit dans le champ du commandement, Adam était le « premier homme », posé à part dans la série des humains par cette place et par son double statut de *sainteté* et de *justice* relatives à Dieu. Après la transgression, une autre qualification intervient, il s'agit maintenant de l'homme « tout entier », défini en lui-même (tout entier-premier) comme une totalité divisée en *corps* et *âme*.

Tel serait alors cet « état pire » que mentionne le texte : l'homme supporte en lui-même et dans la division la différence qu'attestait auparavant son statut symbolique de premier homme, statut relatif à Dieu et médiatisé par la parole du commandement. Comment peut alors s'inscrire dans l'humain la différence qui le constitue tel, quand la parole qui le réfère à Dieu n'est plus entendue et symbolisée ? Le texte parle alors de la *colère* et de l'*indignation* de Dieu, et le deuxième canon introduit une nouvelle donnée : la place d'Adam est située maintenant dans sa relation aux autres humains qui sont sa descendance. La qualité de *premier homme* s'établit sur une autre dimension, dans l'ordre de la génération.

Des conséquences pour tous.

« Si quelqu'un affirme que la prévarication d'Adam n'a nui qu'à lui seul et non à sa descendance » et qu'il a perdu la sainteté et la justice reçues de Dieu pour lui seul et non aussi pour nous ; ou que, souillé par son péché de désobéissance, il a transmis « seulement la mort » et les peines « du corps à tout le genre humain, mais non le péché qui est la mort de l'âme », qu'il soit anathème ; car il contredit l'Apôtre qui dit : « Par un seul homme le péché est entré dans le monde, et par le péché, la mort, et ainsi la mort a passé dans tous les hommes, tous ayant péché en lui. »

Le deuxième canon du décret aborde le thème de la solidarité de tous avec Adam. Les conséquences de la transgression atteignent d'autres que lui. Plusieurs figures d'acteurs sont ici convoquées (sa descendance, tous les hommes, tout le genre humain, nous) et deux termes expriment particulièrement les relations d'Adam aux autres humains : la *descendance* et la *transmission.* Adam est le « premier homme », non plus seulement, pourrait-on dire, par contrat, mais comme père du genre humain. L'aventure d'Adam ne le concerne pas seulement comme individu particulier, elle ne concerne pas seulement l'humanité comme nature humaine commune à tous, elle concerne tous les hommes (« nous ») en tant qu'ils sont les descendants d'Adam et que l'humanité se transmet par génération.

Le texte reprend ici les éléments construits dans le premier canon pour définir l'homme : sainteté et justice, d'une part, corps et âme d'autre part. L'humanité d'Adam se transmet à tous, qui sont, comme lui, exclus du statut de sainteté et de justice, et atteints de la mort du corps et de l'âme. Le concile insiste pour que, eu égard à la mort, on ne sépare pas le corps et l'âme, mais que l'on tienne bien la condition humaine des humains dans la corrélation des deux. Il ne s'agit pas d'opposer un corps mortel et une âme immortelle, ni un élément matériel à un élément spirituel, ni de dire que le péché est *comme* une mort de l'âme. Telle est la version humaine de la mort: pour un homme, la mort est inscrite dans cette structure âme-corps qui le constitue et elle en accroît l'énigme. On ne peut opposer ici un corps mortel et une âme immortelle, ce serait dissocier ce qui doit rester articulé, pour la vie comme pour la mort. Le concile reprend Rm 5, 12 s. «la mort a passé dans tous les hommes», corps et âme. C'est dire que pour tout homme, la mort concerne l'humanité transmise et la question de l'origine. Elle n'est pas à confondre avec la mortalité biologique du corps, ni avec une peine (de mort) due au péché; elle met en question le sujet humain, corps et âme, dont l'humanité est à la fois instituée par une loi (commandement-établissement) et transmise dans la chair des générations. Adam, par sa transgression, pose au commencement la faille entre ces deux ordres, comme un écart où l'origine de l'humain, en chacun de nous, est en question, et achoppe à chaque génération. Avec Adam se trouve posé non seulement un commencement de l'humanité, un début, mais aussi un point où l'origine fait question, un point où se trouve en question ce qui fonde l'humanité des humains, et ce qui fait référence de cette humanité, dès qu'il y a de l'humain et chaque fois qu'il y a de l'humain.

La médiation du Christ.

«Si quelqu'un affirme que ce péché d'Adam, qui est un par son origine et qui, transmis à tous par propagation héréditaire et non par imitation, est propre à chacun, peut être enlevé par les forces de la nature humaine ou par un autre remède que les mérites de l'unique médiateur, notre Seigneur Jésus-Christ, qui nous a réconciliés avec Dieu dans son sang, «devenu pour nous justice, sanctification et rédemption»; ou s'il nie que ce mérite de Jésus-Christ soit appliqué et aux adultes et aux enfants par le sacrement de baptême conféré selon l'usage et la forme de l'Église, qu'il soit anathème. Car «il n'est pas d'autre nom sous le ciel qui ait été donné aux hommes, par lequel nous devons être sauvés». D'où cette parole «Voici l'agneau de Dieu, voici celui qui ôte les péchés du monde», et celle-ci «Vous tous qui êtes baptisés, vous avez revêtu le Christ».

Ce troisième canon aborde la question du *salut* en Jésus-Christ à la lumière de la structure de péché posée précédemment. La doctrine du péché originel s'inscrit dans un discours sur le salut en Jésus-Christ. Mais comment nouer l'articulation de ces deux réalités ? Le discours du concile ne fait pas du salut un simple contrepoint, ou contrepoids, du péché originel. Le texte dispose d'abord le mode d'articulation entre *un* et *tous* propre au péché originel, et montre ensuite la structure de la médiation de Jésus-Christ où cette articulation *un-tous* est à nouveau à l'œuvre, par le moyen du baptême.

Le péché d'Adam est « un par son origine », « transmis à tous », et « propre à chacun »... Définition assez paradoxale et énigmatique d'un péché qui concerne tous les hommes et noue une articulation complexe entre *un*, *tous* et *chacun*. Comment se représenter ce dont il est ici question ? Deux schématismes se présentent pour interpréter ce qui lie *un*, *tous* et *chacun* : l'imitation et la propagation héréditaire. Le concile retient l'hypothèse de la propagation, mais précise bien que le péché originel est « propre à chacun » : il ne se répand donc pas comme une « tare » de la nature humaine dans sa généralité universelle, mais il concerne la manière dont chacun (chaque un) prend comme sujet sa place dans l'humanité transmise par la génération. Le sujet humain, dans ce troisième canon, n'est donc pas un simple exemplaire de la nature humaine ou un « cas d'espèce » : il n'y a pas d'espèce humaine à proprement parler.

Le concile rejette l'hypothèse de l'imitation. Celle-ci laisse supposer que le sujet humain, dans sa singularité, se constituerait à l'image d'autrui en modelant son désir à ce qu'il perçoit des autres. Une telle hypothèse privilégierait la dimension *imaginaire* du sujet. Le péché originel n'est pas un « mauvais exemple » auquel chacun finalement adhérerait ; ce serait là une conception idéologique du péché originel et du sujet humain. L'hypothèse de la « propagation héréditaire », quant à elle, souligne l'ancrage du sujet dans le réel de la chair, elle maintient ouverte la question de l'émergence de la singularité du sujet humain dans la chair. Il nous semble que le discours du concile de Trente conduit à cette ligne de crête, à cette corrélation constitutive de l'humain, sujet inscrit dans la chair : à quel prix pour la chair des générations, un sujet humain peut-il être reconnu et nommé ?

C'est précisément en ce point où l'émergence d'un sujet humain fait question que le texte pose la nécessaire médiation de Jésus-Christ. Si le discours du concile oppose « les forces de la nature humaine » et les « mérites de Jésus-Christ », ce n'est pas parce que l'opération d'« enlèvement du péché » demande des forces surhumaines, mais peut-être parce qu'il ne s'agit là ni d'une opération de force ni d'un « remède ». Mais comment décrire et dire cette opération qui touche aux fondements de l'humanité de chacun des humains ? Les mérites de Jésus-Christ présupposent qu'une opération a été accomplie : il nous a réconciliés avec Dieu dans son sang, il est devenu pour nous justice, sanctification et rédemption. Essayons de préciser les différentes relations qui sont nouées, dans cette opération, entre Dieu, le Christ et « nous ».

a. Du Christ lui-même, le texte retient la figure du *sang* (il sera plus loin question de l'*agneau*). Celle-ci peut référer à la mort de Jésus, mais de manière indirecte, car sa mort sur la croix ne fut pas « sanglante ». Elle la représente donc, mais sans en être l'« image ». Elle est d'autre part posée comme le point de référence de relations nouvelles entre Dieu et les hommes (ce que le texte appelle la *réconciliation*) ; de ce fait, elle doit être mise en rapport avec la situation initiale des relations de Dieu à l'homme (établissement du premier homme dans la sainteté et la justice) et avec ce qui noue et manifeste ces relations après la transgression d'Adam (statut divisé de l'homme, corps et âme, et génération). On serait alors amené à penser que pour tout homme les « liens du sang » jouent à deux niveaux, avec Adam pour la transmission de la vie par la génération, avec le Christ si le sang de sa mort (pris comme signifiant et non comme représentation-image) vient signaler la coupure qui advient à chaque génération d'humain : le sang du Christ est *le signifiant de la vie* de chacun. Le Christ ne vient pas se substituer à Adam pour la génération, il n'est pas un nouveau père pour engendrer une humanité « de seconde génération », il est, sous la figure du sang (et de l'agneau) la médiation nécessaire pour que naissent des humains singuliers.

b. L'œuvre du Christ s'appelle « réconciliation » des hommes (nous) avec Dieu. Cette opération n'est pas une transformation de la nature humaine au sens « biologique » ou « substantiel », mais plutôt une transformation contractuelle, ou symbolique, portant sur la relation entre Dieu et nous. Elle vient relayer ce que le texte posait plus haut sous les figures de la *colère* et de l'*indignation*. C'est aussi pour les humains une question de statut : le statut de « réconcilié » vient en place du statut primitif de « sainteté et justice », mais il ne lui est pas identique. Il n'y a pas avec le Christ de retour à l'état initial de l'humanité. « Sainteté et justice » qualifiaient le premier homme, le premier *père* ; « réconciliation » concerne tous les « fils » à partir du Christ.

c. L'œuvre du Christ lui confère une fonction, un rôle par rapport à nous. Reprenant 1 Co 1, 30, le concile note qu'« il est devenu pour nous justice, sanctification et rédemption ». Justice et sanctification reprennent des éléments de la situation initiale du premier homme ; le terme « rédemption » vient en plus, et devra être traité à part. « *Justice* et *sanctification* » reprennent – mais en termes de fonction (« sanctification ») – les deux traits qui caractérisaient le statut primitif du premier homme ; mais ces qualités ne sont pas restituées, comme des objets-valeurs dont l'homme aurait auparavant manqué. Elles restent, en quelque sorte, perdues pour nous, mais elles sont réalisées dans le Christ, dans sa mort (« être *devenu* justice et sanctification » n'est pas équivalent à « être *établi dans* la sainteté et la justice ») et signifiées pour nous, symboliquement, dans les *mérites* et dans le *nom* de Jésus-Christ.

Le texte cerne ici un dispositif assez complexe touchant à la vérité de l'homme et à son identité en distinguant l'*établissement* par Dieu et l'*application* des mérites du Christ. L'établissement (avec le commandement) réfère l'homme à l'ordre de la loi, à l'ordre symbolique, l'application des métrites articule le symbolique au réel de la vie et de la mort et à une perte impossible à combler : dans le Christ passé par la mort (le sang) se trouve posé le signifiant de la perte réelle maintenue dans l'homme. Le Christ ne comble pas cette perte, il la signifie, il réalise la réconciliation en instaurant cette articulation du symbolique et du réel où la vérité de l'homme trouve à être dite. C'est à leur nom que les humains se disent et se reconnaissent, c'est au nom du Christ, en référence à ce nom, qu'ils trouvent eux-mêmes à être nommés. Mais si le nom fait la reconnaissance pour les humains, l'espèce, la race, la chair n'y suffisent pas et elles en pâtissent au point d'en fomenter le refus.

La dernière partie du canon développe cette fonction nouvelle du symbolique : les mérites du Christ sont « appliqués » aux hommes par le baptême qui manifeste rituellement («l'usage et la forme de l'Église») cette articulation. Les figures du «nom donné aux hommes» et du «Christ revêtu par les baptisés» mises en rapport par le texte avec «les péchés ôtés» reprennent cette disposition : le Christ comme signifiant s'applique sur une perte qui reste ouverte en l'homme, empêchant qu'elle soit imaginairement comblée. Le nom vient avec la perte de la chose. Tel pourrait être le sens de la «rédemption» ici : le salut du Christ n'est pas symétrique à l'état de péché ; le rapport entre Adam et Jésus-Christ n'est pas la symétrie du miroir inversé. L'humain sauvé se trouve articulé à deux références, celle d'Adam, de la génération et du manque à être qu'elle propage et transmet à la limite de la loi, celle du Christ, de l'alliance où le manque à être de l'homme filial (parce qu'il ne détient pas comme un bien l'origine de la vie) trouve à être dit.

Les tout-petits.

Si quelqu'un nie que les tout-petits doivent être baptisés, même s'ils viennent de parents baptisés, ou dit que c'est pour la rémission des péchés qu'on les baptise, mais qu'ils n'ont rien en eux du péché originel d'Adam que le bain de la régénération aurait à expier pour obtenir la vie éternelle, ce qui a pour conséquence que pour eux la formule du baptême «en rémission des péchés» n'a pas un sens vrai mais faux, qu'il soit anathème. Car on ne peut pas comprendre autrement ce que dit l'Apôtre : «Par un seul homme le péché est entré dans le monde et par le péché la mort, et ainsi la mort a passé dans tous les hommes, tous ayant péché en lui» (Rm 5, 12), sinon de la manière dont l'Église catholique répandue par toute la terre l'a toujours compris. C'est en effet à cause de cette règle de foi que même les tout-petits, qui n'ont pas pu commettre encore par eux-mêmes quelque péché, sont cependant vraiment baptisés en rémission des péchés pour que la régénération purifie en eux ce que la génération leur a apporté. «Car ce qui ne renaît pas de l'eau et du Saint-Esprit ne peut entrer dans le Royaume de Dieu» (Jn 3, 5).

Le quatrième canon aborde la règle du baptême des tout-petits ; au-delà d'une discipline ecclésiale qu'il rappelle, il développe un discours sur le sujet humain et le salut, sur les liens entre génération humaine, péché et salut.

La figure des «tout-petits» développe en effet plusieurs parcours dans le texte :

a. Le premier concerne le lien des enfants aux parents. Les enfants sont issus de leurs parents, mais que reçoivent-ils au juste de cette génération ? Par les positions qu'il rejette, le texte dessine un chemin d'interprétation. Le péché originel se transmet avec la génération, de sorte que la rémission des péchés par le baptême a un sens réel pour les tout-petits, en tant qu'ils sont issus de la génération. Par contre, les effets du baptême ne se transmettent pas : les enfants de parents baptisés doivent être eux-mêmes baptisés. Péché originel et grâce du baptême ne sont pas des grandeurs analogues et réversibles, bien qu'elles concernent toutes deux le statut du sujet humain et sa place dans l'ordre de la génération. On peut faire l'hypothèse que, pour notre texte, le sujet est posé là où la génération manque à le dire. Le baptême vient signifier ce qui en chacun vient faire écart dans la génération (le baptême ne se transmet pas des parents aux enfants). La génération achoppe à poser, seule, des sujets et elle en porte, à chaque naissance, blessure et refus (les tout-petits doivent être baptisés).

b. Les tout-petits sont en outre dans ce texte la figure de personnes non (encore) responsables de leurs actes (« qui n'ont pas pu commettre encore par eux-mêmes quelque péché »). La règle du baptême « en rémission des péchés » demeure pour eux, parce que l'articulation péché originel-salut concerne le sujet humain en deçà des actes commis, des intentions et de l'évaluation des responsabilités. La question n'est pas morale, elle est anthropologique. L'entrée dans le Royaume concerne l'humanité des humains, et non leurs plus ou moins bonnes dispositions morales. Ce point du texte oblige sans doute à revenir sur la notion de *responsabilité* et à envisager une problématique de la responsabilité, qui ne soit pas liée et identifiée exclusivement aux décisions d'un vouloir conscient et à des systèmes de valeurs. Le péché originel et la nécessité du baptême, pour les tout-petits, désignent une responsabilité fondamentale du sujet, concernant la place qu'il prend dans l'humanité commune.

Avant toute considération d'actes bons ou mauvais, avant tout jugement moral, il y a, pourrait-on dire, pour chaque un une « responsabilité » de l'entrée en humanité. Cette responsabilité de la naissance – qui n'est pas la maîtrise de (l'origine de) la vie – est ici révélée par le couple péché originel-baptême, non pas du côté des pères, mais du côté des fils. Il s'agit de naître, d'être né, d'être fils, et pour le concile, de s'inscrire entre génération et «re-génération». Renaître de l'eau et de l'Esprit : la re-génération ne redouble ni ne répète la génération, mais elle situe l'identité et la vérité du sujet en référence à l'«eau» et à l'«Esprit[14]». Ces figures signalent pour le sujet un ordre de référence autre que les marques de son hérédité ; et il n'est sans doute pas indifférent que dans notre texte, de la référence unique à la génération, on distingue la référence à deux signifiants[15] (eau et Esprit) de sorte que l'identification du sujet demeure «entre-deux», divisée, suspendue au renvoi d'un signifiant à l'autre. La régénération du baptême ne nie pas la génération, elle ne s'y substitue pas (comme le Christ ne se substitue pas à Adam à l'origine de l'humain), elle la «purifie» (encore une figure d'enlèvement, de perte), elle introduit le sujet dans l'ordre des signifiants (dans la double référence à l'eau et à l'esprit), elle signifie la perte réelle corrélative de cette inscription symbolique du sujet.

L'existence du sujet croyant.

Si quelqu'un nie que, par la grâce de Notre-Seigneur Jésus-Christ conférée par le baptême, la peine du péché originel soit remise, ou même s'il affirme que tout ce qui a vraiment et à proprement parler caractère de péché n'est pas enlevé, mais simplement rasé ou non imputé, qu'il soit anathème. Car Dieu ne hait rien dans ceux qui sont régénérés, parce qu'«il n'y a pas de condamnation pour ceux qui sont vraiment ensevelis dans la mort avec le Christ par le baptême» (Rm 6, 4), «qui ne marchent pas selon la chair» (Rm 8, 1), mais qui, dépouillant le vieil homme et revêtant l'homme nouveau

14. «Eau» et «esprit», ces deux figures sont souvent associées dans les textes de Jean, évangile et épître, et il est difficile de dire comment chacune de ces figures se trouve interprétée du fait de son rapport à l'autre. Dans la première épître de Jean, il est question de l'eau, de sang et de l'esprit. Voir un essai de lecture dans L. PANIER, «La vie éternelle, une figure dans la première épître de saint Jean», *Actes sémiotiques. Documents*, V, 45, 1983. Voir également *La Naissance du Fils de Dieu*, Paris, Éd. du Cerf, 1991, p. 39-40.

15. Le terme de *signifiant* est emprunté à la sémiologie et à la terminologie linguistique utilisée par Jacques Lacan. On parle de *signe* pour désigner une expression liée à un contenu auquel elle donne accès (le son d'un mot donne accès à son sens) ; on parle de *signifiant* lorsque l'accès au sens étant rompu (barré), le signe ne fonctionne que dans sa relation à d'autres signes, comme les mots dans un texte d'une langue inconnue. En tant qu'il désigne et distingue un sujet, le nom n'est pas un signe, il n'a pas de contenu de sens qui lui soit directement lié : il fonctionne comme signifiant. Si le sujet humain est ainsi référé à l'ordre des signifiants, il ne peut être identifié à aucun sens, à aucune valeur où il se trouverait absorbé.

créé selon Dieu, sont devenus innocents, sans souillure, purs, irréprochables et fils aimés de Dieu ; « héritiers de Dieu et cohéritiers du Christ » (Rm 8, 17), si bien que rien absolument n'empêche leur entrée dans le ciel.

Que la concupiscence, ou le foyer du péché, demeure dans les baptisés, le saint Concile le confesse et le pense. Laissée pour nos combats, elle n'est pas capable de nuire à ceux qui, n'y consentant pas, résistent avec courage par la grâce du Christ. Bien plus, « celui qui aura combattu selon les règles sera couronné » (2 Tm 2, 5). Cette concupiscence, que l'Apôtre appelle parfois « péché », le saint Concile déclare que l'Église catholique n'a jamais compris qu'on l'appelait ainsi parce qu'elle avait vraiment et à proprement parler le caractère du péché dans les régénérés, mais parce qu'elle vient du péché et qu'elle incline au péché. Si quelqu'un pense le contraire, qu'il soit anathème.

Le cinquième canon du décret concerne *la condition humaine des baptisés*. Dans le statut filial qui est le leur se trouvent corrélés l'enlèvement radical du péché originel et le maintien de la concupiscence « pour nos combats ». Comment le discours du concile interprète-t-il cette condition paradoxale ?

On paraît distinguer deux régimes d'humanité (ancien et nouveau) mais sans les opposer dans une alternative (ou bien/ou bien) : la concupiscence demeure quand le péché originel est enlevé, parce que, à partir de l'opération du salut, ces deux grandeurs ne sont plus du même ordre, ne sont pas équivalentes. L'opération du salut n'est pas une simple transformation, le simple passage d'un état à son opposé, elle fait plutôt « chuter » l'état premier (péché) sous l'état nouveau (filiation) sans les dissocier totalement. Le baptisé se trouve dans un statut d'humanité complexe et divisé que signale la concupiscence et dont rend compte la figure du « combat ».

Nous reprendrons quelques éléments du parcours discursif de ce canon pour analyser plus précisément quelques figures.

La première partie affirme, en contradiction avec les propositions de Luther, l'enlèvement radical du péché originel : le péché originel est enlevé, pas simplement rasé ou non imputé. La perspective d'ensemble est plus anthropologique que morale ou juridique. Péché originel et enlèvement du péché originel concernent l'humanité de l'homme, sa structure et son principe de structuration.

La deuxième partie développe les figures de cet enlèvement radical et de ses conséquences. Elle est encadrée de deux expressions qui se répondent : « Dieu ne hait *rien* dans ceux qui sont régénérés » ; « Rien absolument n'empêche leur entrée dans le ciel. » Quelque chose est enlevé qui n'est pas directement défini par le texte, mais qui fait obstacle, plus que limite, à l'émergence du sujet, et qui inscrit la relation à Dieu sur le registre de la haine et de la condamnation (qu'il faudrait sans doute rapprocher de ce que nous avons dit plus haut de la colère et de l'indignation) : proximité fascinante et terrifiante de Dieu où manque une médiation. Dans les deux expressions, c'est la relation à l'altérité qui est en cause pour le sujet.

Entre ces deux bornes, le texte développe le statut nouveau des baptisés dans une série de figures dont on peut organiser le parcours. Ce parcours de la naissance réorganise le rapport de la vie et de la mort : il s'inaugure par la mort pour aboutir à la condition filiale. Il parle d'une naissance que la mort précède et non d'une mort qui met fin à la vie. Il oppose « la marche selon la chair » et « la création selon Dieu » comme deux régimes et deux principes de l'existence de l'homme. Tout se passe comme si la condition du baptisé était à la croisée de deux instances : un processus de vie, mû par la « chair » (le vieil homme) et où la mort fait rupture, une instauration filiale (création selon Dieu) corrélée à la chute du régime précédent plus qu'à sa disparition, et où les biens acquis (héritage) présupposent la mort. On peut supposer que la chair correspond ici au régime de la génération dans lequel se transmet le péché originel. Le baptisé, comme fils, est dans la chair, mais pas selon la chair. Dieu créateur n'est pas le rival de la chair où naissent les humains (« il ne hait rien dans ceux qui sont régénérés ») ; il pose, comme père, l'articulation de la génération des hommes et de la reconnaissance des fils dont le Christ est le paradigme.

Si l'ordre de la chair chute sous l'ordre de la filiation (si la reconnaissance des fils suppose cette faille dans la chair), il n'en demeure pas moins constitutif du sujet humain : il n'y a de sujet que dans la chair. La puissance de la chair demeure, avec le désir et la concupiscence, mais elle ne s'inscrit pas en contradiction avec le régime de la filiation. La concupiscence demeure, mais « elle n'a pas à proprement parler le caractère de péché », elle rappelle la situation divisée du sujet, fils inscrit dans la chair ; elle donne à l'existence de l'homme l'allure d'un « combat » (mais le texte ne désigne pas les ennemis : il suffit que le combat soit mené « dans les règles [16] ») ; elle affecte au sujet une dimension polémique, articulée autour d'un combat et d'une sanction (couronne). Le combat de la vie semble être « pour la gloire », fournissant quelques repères et quelques signes pour la représentation du sujet filial préalablement instauré par la parole. Le « sens de la vie » n'est pas donné au terme d'un combat bien mené contre le péché, il est dans la vérité filiale du sujet en qui « Dieu ne hait rien ». On est passé d'un Dieu « sanctionnant » et jugeant à la fonction paternelle de Dieu appelant des fils et creusant en eux la cause du désir. Péché originel et baptême dessinent les conditions d'émergence d'un sujet filial.

La Vierge Marie.

Cependant, ce saint Concile déclare qu'il n'a pas l'intention de comprendre dans ce décret relatif au péché originel la bienheureuse et immaculée Vierge Marie, mère de Dieu, mais que l'on doit observer les constitutions du pape Sixte IV, d'heureuse mémoire, sous menace des peines qui y sont contenues, constitution qu'il renouvelle.

Le sixième canon met à part la situation de la Vierge Marie, mère de Dieu, en reprenant la doctrine énoncée précédemment, affirmant qu'elle fut conçue sans le péché originel. La notion de péché originel n'est pas pertinente pour elle, eu égard à la naissance de Jésus et au mystère de l'incarnation (« mère de Dieu ») pour autant que celle-ci vient justement signifier et réaliser l'écart de la filiation dans la lignée des générations humaines [17]. Si la concupiscence qui marque l'acte de la conception chez les humains est interprétée en référence au péché originel, la conception de Jésus-Christ en Marie, qui relève, comme le dit Augustin dans le

16. On pourrait comparer ici l'état initial du premier homme, son identité contractuelle (« établissement »), et l'état du baptisé, son identité « polémique » (« combat »). Le sujet se pose en s'opposant, dans un système de valeurs, il se réalise dans une « victoire ». Mais pour les fils, la vérité ultime ne se joue pas dans le régime de la lutte, ni dans la poursuite des valeurs, elle est déjà, par ailleurs, dite et signifiée ; elle se reçoit de la parole du Père.

17. Voir L. PANIER : *La Naissance du Fils de Dieu*, Paris, Éd. du Cerf, 1991.

texte que nous avons lu, de la foi et non du plaisir, présuppose, logiquement pourrait-on dire, l'absence du péché originel en Marie. Il s'agit d'une nécessité rétroactive, conséquence de l'incarnation.

Bilan.

Nous avons tenté de dégager une perspective d'interprétation dans la lecture du texte du concile de Trente. Lire ce décret comme un texte, ce n'est pas rapporter chacune de ses propositions (et de ses anathèmes) à leurs références théologiques et historiques, ni supposer bien connu son message pour en juger; c'est construire le chemin d'interprétation que dessine la mise en discours des thèmes théologiques et des figures particulières qui les manifestent.

On retrouve certes dans ce texte les éléments de la tradition du péché originel (la faute originelle d'Adam et ses conséquences pour lui et pour tous après lui, l'acte réconciliateur du Christ, applicable à tous par le baptême, le statut particulier des baptisés). Mais le discours du concile ne développe pas ces éléments dans la linéarité d'un récit dont on suivrait les épisodes, et où l'on retrouverait, comme dans tout récit simple, les phases de mandement, de méfait, de restauration par un héros et de résolution de la crise. Le discours agence des figures qui, certes, pourraient donner lieu à des expansions narratives et descriptives, qui en effet peuvent apparaître comme des citations de constructions théologiques auxquelles elle renvoient; mais en disant *ainsi* ce qu'il dit, en créant un réseau figuratif particulier, il crée un « univers sémantique » original, il dessine un horizon propre pour l'interprétation, il s'offre à la lecture.

Cet horizon, me semble-t-il, concerne, dans la confession de foi (voir ici la note 10, le préambule du décret), la structure et la condition d'humanité de tout humain, l'origine et la naissance de l'homme, en Adam, et en chacun de nous. En quoi, la naissance de chacun se trouve-t-elle reférée, fondamentalement, à l'origine de l'humanité (de l'« être-humain »). Le texte met en parcours cette question, il l'articule, partant d'Adam, qui dans l'humanité occupe la place du « premier » pour aboutir au statut filial de « chaque un » dans l'humanité, et à l'évocation de la filiation « divine » dans la question de la Vierge Marie. Ce parcours, où le péché originel est le « fil rouge » nous amène à cette interrogation : comment (à quelles conditions) chacun peut-il être posé comme sujet dans l'humanité, et comment chaque naissance d'humain fait-elle rappel de l'origine ?

L'origine de l'humanité est figurée par Adam – mais sans considération historique (paléontologique) sur les commencements de l'humanité – sur deux dimensions, entre lesquelles s'inscrit la « faille » de la transgression.

a. Adam est « originaire » ici parce qu'il occupe la place du « premier ». Ce n'est pas un personnage générique (l'« Homme général »), mais un acteur singulier occupant cette place caractéristique de premier dans la série des hommes. Singularité et priméité d'Adam font qu'il engage une histoire et que la « faute » est événement et non défaut ou imperfection de nature. La priméité d'Adam n'est pas ici referée à un acte créateur de Dieu, inaugurant avec lui l'humanité historique et générique, elle est referée à l'ordre symbolique du commandement et de l'établissement : la singularité d'Adam est instituée, elle le réfère à la parole.

b. Adam est « originaire » dans l'ordre de la génération, il est premier parce qu'il a une descendance à laquelle l'humanité se transmet.

Entre ces deux dimensions de ce qu'on peut appeler la *priméité* d'Adam, le discours du concile place la faille de la transgression. La mention de l'humanité transmise par génération vient avec la transgression de ce qui instituait la singularité première d'Adam. Pour tout humain, après Adam, se pose un double rapport à l'origine (au « premier »), du côté de l'instauration par la parole qui désigne le sujet, du côté de la chair qui noue les générations humaines. La figure de la transgression d'Adam manifeste entre les deux références une corrélation qui paraît impossible à tenir, de telle sorte que, semble-t-il, la génération par laquelle l'humanité se transmet aux humains atteste de façon répétitive la défaillance, ou le refus (coupable) de l'instauration du sujet par la parole de Dieu. La division du sujet (que manifestent des différences telles que corps-âme, homme-femme, parents-enfants) signale sans pouvoir le dire, et répète sans pouvoir y mettre un terme (car la vie humaine tient à cela) cette fermeture à la parole.

Dans cette hypothèse, le péché originel n'est pas une maladie héréditaire de la nature humaine, il n'est pas non plus l'imitation d'un mauvais exemple ou la décision mauvaise d'un sujet.

a. Il n'est pas une maladie héréditaire, il est le « défaut » relatif à l'établissement, au placement, dans la chair, d'un sujet appelé et nommé par la parole. La génération achoppe à pouvoir établir ce sujet, elle en porte blessure, elle répète le refus de cet établissement par la parole d'un Autre et reproduit la tentative indéfinie de s'en passer ; mais c'est ainsi que l'humanité se transmet... Transmis avec la génération, le péché originel est « propre à chacun », car justement, il pose la question de l'« un » dans la génération commune à tous.

b. Il n'est pas la décision coupable d'un acte répréhensible ou mauvais, ni l'adhésion à un mauvais exemple. Une telle définition présuppose en effet une conception idéologique du sujet, défini seulement par les objets (les valeurs) qu'il donne comme finalité à son vouloir et dans la quête desquels il déploie son pouvoir-faire ; conception idéaliste du sujet maître de lui-même, responsable ou excusable pour ses choix. La position du concile rappelle l'ancrage impossible à dire du sujet dans la chair des générations, et la question qui se pose, là, de son origine, de sa vérité, et de sa responsabilité. En maintenant pour le péché originel la catégorie de « péché », le texte signale, en deçà du vouloir et du jugement moral, une responsabilité du sujet qui doit répondre de son humanité. Il s'agit bien d'une anthropologie marquée par l'altérité.

La médiation du Christ atteint l'humanité des hommes à ce niveau structurant. Jésus-Christ ne donne pas l'exemple d'un « bon choix » à imiter par d'autres, il ne se substitue pas à Adam pour engendrer, comme un nouveau (et bon) père, une humanité autre (et meilleure). Il occupe, dans la génération, une place unique – comme Adam – mais c'est la place du « fils ». Après avoir mentionné la médiation du Christ, le texte parle du statut filial des baptisés. Le Christ est médiateur, il n'est pas un simple intermédiaire pour une conciliation entre les hommes et Dieu, il ne reconduit pas les hommes à l'état adamique initial, mais il permet, par sa mort, ses mérites et son nom, que soit signifié et réalisé, pour « chaque un » des hommes, la corrélation de la chair et de la parole, de la génération et de l'instauration. La rédemption renvoie à l'incarnation (voir le sixième canon) comme au mystère du Christ, mais aussi comme à cette vérité de tout humain que le nom du Fils de Dieu désigne et révèle.

4

Aventure humaine dans le jardin

Lecture de Gn 2-3

Après avoir côtoyé quelques témoins de la formulation théologique et dogmatique de la doctrine du péché originel, nous pouvons aborder maintenant les principales pièces bibliques de ce dossier, le récit des chapitres 2 et 3 de la Genèse et le chapitre 5 de l'épître de Paul aux Romains.

On peut qualifier le récit de Genèse de « texte de base » de la doctrine du péché originel : tout discours sur le péché originel y fait référence et y puise ses figures. Mais pour autant, on ne peut affirmer que la doctrine du péché originel soit « le sens » de ce texte, un sens que la tradition n'aurait eu qu'à dégager et à expliciter. La doctrine du péché originel, telle que nous la connaissons, est plutôt un produit de la lecture de ce récit, elle en articule et interprète les éléments dans la perspective ouverte par la nouveauté de Jésus-Christ, en qui se trouve accompli ce qui dans le texte ancien devient de ce fait horizon d'attente. La perspective évangélique ouvre un sens nouveau au texte ancien qui ne peut à lui seul donner une justification biblique à la doctrine du péché originel, ni l'invalider dans la mesure où on ne l'y trouverait pas.

Pour reprendre une expression de Paul Beauchamp, la tradition de lecture est « téléologique ». Sa démarche spécifique n'est pas celle d'une enquête archéologique qui tenterait de reconstituer et de fixer comme « vérité » du texte un sens « originel », ce qu'il voulait dire pour ceux qui l'ont collationné et composé – ils faisaient d'ailleurs eux-mêmes œuvre d'interprétation et de tradition –, la fonction qu'il pouvait avoir dans la société qui l'a produit. Tout cela fournit bien une connaissance effective, parfois scientifique, du texte, mais ce n'est pas identiquement une tradition de lecture. La vérité d'un texte est dans la capacité qu'il a d'être relu, et de donner à dire, dans son ancienneté, la nouveauté d'un présent. Sa faiblesse et son inaccomplissement sont la nécessité qu'il a d'être relu, repris comme s'il ne pouvait de lui-même atteindre la vérité qu'il dessine. Le récit de la Genèse trace l'axe le plus tendu de ce dispositif, il donne à relire à tout présent le dessin de l'origine. La lecture chrétienne, avec Paul en particulier, inscrit en ce dessin le creuset du salut, qui opère jusqu'en ces profondeurs originaires.

Genèse 2-3 parle d'*origine*. Le récit originaire est autre chose que le premier épisode d'une histoire, à partir duquel on pourrait développer une chronologie linéaire. L'origine n'est pas le commencement, elle fait toujours écart avec celui-ci. Elle est toujours présupposée par le *commencement* qu'on fixe comme seuil d'intelligibilité à une histoire. L'origine n'est pas la cause de ce qui suit, elle ne donne pas, comme savoir, une explication de ce qui est par ce qui fut, mais elle demeure comme ce qui d'ailleurs et maintenant cherche accomplissement et retour; mais elle tranche sur tout retour qui reviendrait au même.

Le récit d'Adam et Ève n'explique pas la situation présente des hommes et des femmes, il n'en dit pas les causes mais il en propose un modèle d'interprétation. Le récit de ce qui a lieu dans le jardin d'Éden est comme un «modèle théorique» qui permet de comprendre ce qui a lieu hors du jardin dans la vie des humains, mais c'est un modèle figuratif. C'est pourquoi le récit originaire ne relève pas du traitement historiographique. On peut certes dater le moment de sa rédaction, mais ce qu'il raconte n'est pas de l'ordre de l'histoire. On parle alors souvent de «mythe», dont la vérité n'est pas dans l'exactitude ou la vraisemblance des faits rapportés, ni dans la subtilité d'un message préalable que le récit illustrerait. Le mythe *signifie*, sa vérité n'est pas derrière lui, elle est en lui et devant lui : il est une œuvre à interpréter.

En ce sens, le récit originaire n'est pas une pensée primitive et précaire, il ne lui manque rien (que nous devrions rajouter pour le rendre vraisemblable ou acceptable à nos esprits «modernes»), c'est au lecteur de s'adapter au récit, de faire pour lui-même (et sur lui-même) le travail nécessaire pour découvrir la perspective ouverte par l'œuvre, pour découvrir ce qu'elle (nous) veut en disant ainsi ce qu'elle dit.

La doctrine du péché originel est-elle une lecture abusive de Genèse 2-3, un « bricolage » narratif où la séquence du Christ viendrait en place d'une réparation du « méfait » raconté dans la séquence d'Adam ? On l'a vu, cette forme narrative élémentaire, qui articule bien des contes de notre enfance, est prégnante dans la théologie du péché originel. Mais au-delà, ou en deçà de cette structure narrative simple, il faut voir jusqu'où nous conduit la mise en discours de l'homme dans ce récit, pour apercevoir peut-être la théorie qui le soutient, et situer le lieu où vient s'adapter la confession de foi chrétienne du péché originel. Dans ses formulations traditionnelles et dogmatiques, elle est peut-être une tentative peu réussie (et vouée à l'échec) de « rationalisation chrétienne du mythe », mais l'incessant travail de lecture qu'elle effectue sur ce récit doit nous alerter sur l'impossibilité de dire qui en est l'enjeu.

Dans les pages qui suivent, je propose une lecture du récit de Genèse 2-3 qui ne prétend aucunement être le « dernier mot » sur ce texte abondamment commenté [1] mais un essai pour organiser une hypothèse qui vise à rendre compte de l'agencement des figures qui sont ici mises en discours.

2, [...] [4] Voilà le livre de la génération du ciel et de la terre quand il y eut génération, le jour où Dieu fit le ciel et la terre [5] et toute verdure des champs avant qu'elle ne vienne sur la terre et toute herbe des champs avant qu'elle ne lève. En effet Dieu n'avait pas fait pleuvoir sur la terre et il n'y avait pas d'homme pour travailler la terre. [6] Mais une source montait de la terre et arrosait toute la surface de la terre. [7] Et Dieu façonna l'homme, poussière prise à la terre, et il souffla sur sa face un souffle de vie et l'homme devint être vivant.

[8] Et le Seigneur Dieu planta un jardin en Édem au Levant et là il plaça l'homme qu'il avait façonné. [9] Et Dieu fit encore lever de la terre tout arbre beau à voir et bon comme nourriture et l'arbre de la vie au milieu du jardin et l'arbre qui fait savoir ce que l'on peut connaître du bien et du mal. [10] Or un fleuve sort d'Édem pour arroser le jardin ; de là, il se sépare en quatre bras. [11] Le nom de l'un est Phisôn ; c'est lui qui entoure toute la terre d'Évilat, là où est l'or ; [12] et l'or de cette terre est bon ; et là est l'escarboucle et la pierre verte. [13] Et

1. La Genèse, coll. « La Bible d'Alexandrie », trad. Marguerite Harl, Éd. du Cerf, 1994, p. 98-110.

le nom du second fleuve est Gêôn. C'est lui qui entoure toute la terre d'Éthiopie. [14]Et le troisième fleuve est le Tigre. C'est lui qui coule le long du pays des Assyriens. Le quatrième fleuve, c'est l'Euphrate.

[15]Et le Seigneur Dieu prit l'homme qu'il avait façonné et il le mit dans le jardin pour qu'il le travaille et le garde. [16]Et le Seigneur Dieu donna à Adam un précepte en ces termes : « De tout arbre du jardin, tu prendras ta nourriture. [17]Mais de l'arbre qui fait connaître le bien et le mal vous ne mangerez pas. Le jour où vous en mangerez, vous mourrez de mort. »

[18]Et le Seigneur Dieu dit : « Il n'est pas bon que l'homme soit seul. Faisons lui une aide qui lui corresponde. » [19]Et Dieu façonna encore à partir de la terre tous les animaux sauvages des champs et tous les volatiles du ciel, et il les amena à Adam pour voir comment il les appellerait, et toute appellation qu'Adam donna à un être vivant, cela fut son nom. [20]Et Adam donna des noms à tous les bestiaux et à tous les volatiles du ciel et à tous les animaux sauvages des champs, mais pour Adam il ne fut pas trouvé d'aide semblable à lui. [21]Et Dieu jeta un égarement sur Adam et il l'endormit ; et il prit un de ses côtés et il substitua de la chair à sa place. [22]Et le Seigneur Dieu édifia le côté qu'il avait pris à Adam pour en faire une femme et il l'amena à Adam. [23]Et Adam dit : « C'est maintenant l'os de mes os et la chair de ma chair, celle-ci sera appelée femme parce que c'est de son homme qu'elle a été prise. » [24]C'est pourquoi l'homme quittera son père et sa mère et restera attaché à sa femme et tous deux deviendront une seule chair. [25]Et tous deux étaient nus, Adam et sa femme, et ils n'avaient pas honte.

3,[1] Or le serpent était le plus avisé de tous les animaux sauvages qui sont sur la terre et qu'avait faits le Seigneur Dieu. Et le serpent dit à la femme : « Pourquoi Dieu a-t-il dit : “Ne mangez pas de tout arbre dans le jardin” ? » [2]Et la femme dit au serpent : « Du fruit des arbres du jardin, nous mangeons, [3]mais du fruit de l'arbre qui est au milieu du jardin, Dieu a dit : Vous n'en mangerez pas, et ne le touchez pas de peur que vous ne mouriez. » [4]Et le serpent dit à la femme : « Vous ne mourrez pas de mort. [5]Car Dieu savait que le jour où vous en mangeriez, vos yeux s'ouvriraient et que vous seriez comme des dieux connaissant le bien et le mal. » [6]Et la femme vit que l'arbre était bon comme nourriture, plaisant à voir au regard et favorable pour comprendre ; et, prenant de son fruit, elle mangea ; et elle en donna à son mari avec elle, et ils mangèrent. [7]Et leurs yeux à tous deux s'ouvrirent et ils surent qu'ils étaient nus et ils cousirent des feuilles de figuier et ils se firent des ceintures.

[8]Et ils entendirent la voix du Seigneur Dieu qui se promenait dans le jardin l'après-midi ; et Adam et sa femme se cachèrent de la face du Seigneur Dieu au milieu des arbres du jardin. [9]Et le

Seigneur Dieu appela Adam et lui dit : « Adam, où es-tu ? » [10] Et il lui dit : « J'ai entendu ta voix lorsque tu te promenais dans le jardin, j'ai eu peur parce que je suis nu, et je me suis caché. » [11] Et il lui dit : « Qui t'a annoncé que tu étais nu, sinon que tu as mangé du seul arbre dont je t'ai ordonné de ne pas manger ? » [12] Et Adam dit : « La femme que tu m'as donnée pour être avec moi, cette femme m'a donné du fruit de l'arbre et j'ai mangé. » [13] Et le Seigneur Dieu dit à la femme : « Pourquoi as-tu fait cela ? » Et la femme dit : « Le serpent m'a trompée et j'ai mangé. » [14] Et le Seigneur Dieu dit au serpent : « Parce que tu as fait cela, maudit sois-tu parmi tous les bestiaux et tous les animaux sauvages de la terre. Tu marcheras sur ta poitrine et sur ton ventre et tu mangeras de la terre tous les jours de ta vie. [15] Et je mettrai une haine entre toi et la femme, entre ta semence et sa semence. Il guettera ta tête et tu guetteras son talon. » [16] Et à la femme il dit : « Je multiplierai et multiplierai encore tes souffrances et tes gémissements ; dans les souffrances tu enfanteras tes enfants. Et vers ton mari ira ton mouvement et lui te dominera. » [17] Et à Adam il dit : « Parce que tu as écouté la voix de ta femme et que tu as mangé du seul arbre dont je t'ai ordonné de ne pas manger, maudite soit la terre en tes travaux. Dans les douleurs tu la mangeras tous les jours de ta vie. [18] Elle fera lever pour toi épines et chardons et tu mangeras l'herbe des champs. [19] À la sueur de ta face tu mangeras ton pain, jusqu'à ce que tu retournes dans la terre d'où tu as été pris, parce que tu es terre et que tu t'en iras dans la terre. » [20] Et Adam donna à sa femme le nom de Vie parce qu'elle est la mère de tous les vivants.

[21] Et le Seigneur Dieu fit pour Adam et sa femme des tuniques de peau et il les en revêtit. [22] Et Dieu dit : « Voici, Adam est devenu comme l'un de nous pour connaître le bien et le mal ; et maintenant il ne faut pas qu'il étende la main, qu'il prenne de l'arbre de vie, qu'il en mange et vive pour toujours. » [23] Et le Seigneur Dieu le renvoya du jardin de délices pour travailler la terre d'où il avait été pris. [24] Et il chassa Adam et l'installa en face du jardin de délices, et il plaça les chérubins et l'épée flamboyante qui tournoyait pour garder le chemin de l'arbre de vie [1].

1. Parmi les études récentes de ce texte, je signale en particulier : Jean CALLOUD, « Pour une analyse sémiotique de Genèse 1-3 », dans *La Création dans l'Orient ancien*, Coll. « Lectio Divina » (127), Congrès de l'ACFEB, Paris, Éd. du Cerf, 1987, p. 483-513 ; Marie BALMARY, *Le Sacrifice interdit. Freud et la Bible*, Paris, Grasset, 1986, p. 235-271 et *La Divine Origine*, Paris, Grasset, 1993 ; Paul BEAUCHAMP, *L'Un et l'Autre Testament* ; 2, *Accomplir les Écritures*, Paris Éd. du Seuil, 1990, p. 115-158 ; Jean-Yves THERIAULT, « L'Adam dans le jardin », *Sémiotique et Bible*, n° 67, 1992, p. 13-36 et n° 68, 1992, p. 15-34 ; Michèle ROSSET, *La Génération de l'humain selon Yahvé-Dieu*, CADIR, 1993.

Une lecture de Genèse 2-3.

Le récit qui nous intéresse s'étend du chapitre 2, v. 4 au chapitre 3, v. 23. Il raconte la création de l'homme, son aventure dans le jardin d'Éden et son expulsion. Je prendrai ce passage dans sa globalité : les éléments narratifs et discursifs prennent sens à partir des relations qui les agencent dans la séquence. La lecture consistera à formuler une hypothèse qui rende compte de la cohérence du discours qui nous est donné à lire[2]. Il ne s'agit donc pas de décoder telle ou telle figure (ou de trouver une traduction originale pour tel ou tel mot), mais de justifier le discours tel qu'il nous est donné à lire.

Segmentation.

Le contenu s'organise en différents segments assez faciles à délimiter :

– 2, 4-7 introduit le récit et l'apparition de l'homme modelé par Yahvé.

– 2, 8-17 précise le cadre spatial (le jardin) permettant de particulariser l'homme comme acteur.

– 2, 18-25 se caractérise pas la diversification des acteurs dans ce lieu (les animaux, la femme).

– 3, 1-7 fait apparaître un nouvel acteur, le serpent (pas absolument nouveau toutefois puisqu'il fait partie des animaux) et les effets de son discours à la femme.

– En 3, 8-12, Yahvé réapparaît pour une sentence portant sur le serpent, la femme et l'homme.

– 3, 20-23 conclut en présentant la vie de l'homme et de la femme au terme de ce parcours, et leur expulsion du jardin.

Ce découpage est fait en suivant la disposition des acteurs dans le récit; il ne s'agit pas d'un résumé de l'histoire racontée (cela présupposerait qu'on en connaisse déjà les enjeux) mais d'une possibilité de jalonner un parcours dans le maté-

2. Je prendrai comme textes de référence pour la lecture les traductions de la BJ et de la TOB, et la récente traduction française de la LXX. S'il s'agit de lire la mise en discours des figures, il n'est pas indispensable de se focaliser sur des questions de lexicologie : la question n'est pas de trouver le sens des mots du texte – que seule la connaissance native de la langue hébraïque (originaire?) serait censée nous donner – mais de faire œuvre de lecteur. Il peut y avoir en ces matières un terrorisme du lexique… et de ceux qui s'en emparent. S'il était indispensable de parler hébreu pour lire la Bible, il y aurait du souci à se faire sur la diffusion de la parole!

riau discursif. La lecture suivra les séquences proposées pour y décrire les transformations du dispositif signifiant.

Première séquence (2, 4-7) :
Un être vivant sur la terre.

La séquence introductive pose les conditions de l'apparition de l'homme comme « être vivant ». Celles-ci sont à la fois *narratives* et *thématiques*.

Il y a des conditions narratives, puisque ce récit de création du ciel et de la terre s'ouvre par un constat de manque (ni arbuste, ni herbe des champs) motivé (pas de pluie, pas de cultivateur). On peut s'attendre à la résolution de ce manque, et en trouver effectivement des traces en 2, 15 (l'homme est là pour garder et cultiver le jardin) et à la fin du récit (l'homme expulsé du jardin pour cultiver le sol, mais il faudra attendre le Déluge pour voir la pluie dans le livre de la Genèse) ; il aura fallu cependant un parcours assez complexe.

Il y a des conditions thématiques parce que cette séquence précise déjà une certaine organisation des éléments qu'elle manifeste (terre, eau, souffle). La terre originaire ne manque pas d'eau (« un flot montait de terre et arrosait le sol ») mais cette eau de la terre ne semble pas remplir les conditions nécessaires : il faut la pluie (venant du ciel) et il faut l'homme.

Celui-ci est le résultat d'une double opération de Dieu, il est *modelé de la glaise*, terrestre comme l'eau qui monte du sol, il reçoit un *souffle de vie* venant de Dieu, comme la pluie. Cette organisation thématique des éléments suggère l'hypothèse suivante : la terre native est *indifférenciée*, demeurant dans l'ordre du *Même* (l'eau monte de la terre), les conditions de fructification sont du côté de la différenciation manifestée ici par la *pluie* (mais on n'y fera plus allusion dans le récit) et par l'homme constitué de la terre et du souffle.

L'être vivant est un à partir de deux, traversé par cette séparation qui l'inscrit dans la création. On peut supposer que le parcours du récit va déployer cette constitution séparée ou divisée de l'homme. Quelles seront les conditions d'humanité d'un tel être vivant ?

Deuxième séquence (2, 8-17) :
Dans un jardin, un homme... deux arbres.

La deuxième séquence précise les conditions de cet être vivant en construisant d'abord un *cadre spatial* : le lieu précède l'acteur. Le discours poursuit son travail de différenciation : l'espace est orienté (le jardin est en Éden, à l'orient), découpé par les quatre fleuves qui délimitent des pays[3], spécifié par des noms de lieux, valorisé par des objets disposant des «valeurs» (or pur, bdellium, onyx, arbres séduisants à voir et bons à manger). On notera qu'ici, l'organisation de l'espace et des valeurs précède l'apparition du sujet humain, qui aura affaire à tout cela qui fait pour lui figure d'altérité.

L'espace ainsi construit est une totalité : tout l'espace extérieur au jardin est pris dans le découpage des fleuves (il n'y a pas de reste), tout l'espace du jardin est défini par les arbres («toute espèce d'arbres»). Mais deux arbres singuliers font écart dans cette totalisation, l'*arbre de la vie* au milieu du jardin, et l'*arbre de la connaissance du bien et du mal.* Ils sont à part, séparés mais pas manquants.

Ces «objets» font problème pour l'organisation de l'espace et pour l'organisation des valeurs. Pour l'espace, parce que l'arbre de la vie signale ce point singulier, et sensible, qu'est le milieu du jardin; pour les valeurs, parce qu'avec ces arbres, la vie et la connaissance du bien et du mal sont mises à part de ce qui est séduisant à voir et bon à manger. La mise en discours de l'espace où sera déposé l'être vivant manifeste déjà deux ordres de valeurs, ou deux régimes de relations entre un sujet et un objet. Il faudra suivre dans la suite du récit l'enjeu de cette distinction.

Dans cet espace, le récit place un acteur et une fonction. L'homme, *être vivant*, doit être le *gardien* et cultivateur du jardin, mais on ne raconte pas l'exercice de ces fonctions. Dieu assume ici un nouveau rôle : *il prend la parole pour un commandement.* Après le modelage de l'homme, et son transport dans le jardin, Dieu parle; après les opérations de différenciation des espaces et des éléments, Dieu interdit. Dans le jardin,

3. On peut comparer l'effet des fleuves qui découpent l'espace terrestre à partir du jardin, et celui du flot qui couvre la terre en montant du sol.

l'homme est « allocutaire » de Dieu : il reçoit une parole qui lui est adressée, mais il ne répond pas. Il ne prendra la parole que plus tard ; nous verrons dans quelles conditions. Retenons que, pour le récit de Genèse, la loi de l'interdit s'adresse à l'homme avant qu'il ne parle.

La parole de l'interdit vient donc s'adosser aux opérations de séparation que nous avons déjà rencontrées, mais elle ne les redouble pas, elle introduit autre chose : elle concerne l'homme en tant qu'il peut *agir* dans le jardin (sujet du faire), elle concerne la temporalité (on parle des choses avant qu'elles existent). L'homme est maintenant situé par une parole de Dieu, et par rapport à elle.

Le commandement porte sur les arbres, sur la totalité qu'ils représentent en face de l'homme ; il conjugue l'ordre et l'interdiction ; il articule le manger et le connaître, la vie et la mort. Le commandement sépare dans la totalité ; il interdit à l'homme la totalité comme telle et la déclare mortelle pour lui ; et il introduit dans cette totalité *une règle de soustraction* comme une condition de la vie humaine (il dit : « tout sauf... »).

La soustraction porte ici sur les arbres, plus précisément sur l'usage qu'en fait l'homme, c'est-à-dire sur leur fonction d'objet-valeur pour un sujet. L'arbre soustrait, impropre à la consommation, signale, dans sa réserve, la parole adressée qui en a proféré l'interdit. Il représente pour l'homme la séparation qu'introduit la parole [4] entre l'homme et la totalité qui l'entoure, et la redéfinition du sujet à laquelle elle conduit : un sujet humain peut être lié à la valeur des objets qu'il acquiert, mais un sujet peut être lié à la parole adressée qui l'a désigné.

La connaissance du bien et du mal fait donc écart dans la consommation des biens, elle n'est pas un bien appropriable (séduisant à voir et bon à manger) ; elle introduit, à côté du *voir* et du *manger*, l'*entendre*, comme une condition nécessaire de la vie humaine. Relevant de l'*entendre*, la connaissance du

4. On pourrait suivre dans le texte le parcours qui relie d'une part le *souffle* introduit dans l'homme modelé de la terre, et d'autre part la *parole adressée* dans le commandement : de part et d'autre, il est question d'un vide autour duquel l'homme est constitué, un *vide* qui altère ce qui pourrait le poser comme une totalité close.

bien et du mal est reférée à la parole de l'autre, et relative au vide et à l'« inappropriable » qu'elle inscrit dans l'homme.

Cet arbre de la connaissance du bien et du mal appelle encore deux remarques.

a. Il n'est pas question ici de l'arbre de la vie, qui reste comme caché derrière l'arbre de la connaissance du bien et du mal, hors des limites du discours[5]. Dans ce récit, la vie, n'est en aucune manière un objet appropriable, mais elle est posée dans un régime d'humanité que la loi articule et où la mort, elle, constitue un contrepoint dicible : c'est en parlant de la mort que le commandement (l'interdit du commandement) pose les conditions de la vie dont il ne parle pas.

b. L'arbre interdit est celui de la connaissance du bien *ET* du mal ; à sa manière il représente une totalité (bien-mal) articulée, divisée, dont on peut se demander si elle doit être prise de manière additionnelle (connaître le bien *et aussi* le mal) ou de manière différentielle (connaître le point de séparation, de différence entre le bien et le mal, et la référence de ce point). On pourrait suggérer que le commandement interdit un savoir additionnel du bien et du mal, comme objets de science, pour maintenir une référence éthique fondamentale à la parole adressée et au vide qu'elle ouvre en toute totalisation de l'humain, et que là se trouvent pour un humain des conditions de la distinction entre vie et mort.

Il n'est pas sûr que l'interdit soit assorti d'une menace de châtiment ; la loi introduite ici pour l'homme édicte des conditions de la vie plus qu'elle ne menace de mort le transgresseur de la loi. La mort advient, non comme châtiment, mais parce que, pour un homme, connaître le bien et le mal comme on mange est mortel. À la fin du récit, il n'y aura pas de verdict de mort de la part de Dieu, mais une redisposition de la vie mortelle pour des humains connaissant le bien et le mal sous ce mode « alimentaire ».

L'homme ne répond pas au commandement de Dieu, ni pour l'accepter, ni pour le discuter. Dans le parcours du récit, il n'est pas question encore que l'homme parle (toutes les conditions ne sont sans doute pas remplies), mais ce commandement est posé, intégré dans la constitution de l'homme

5. À la fin du récit, l'arbre de la vie sera rendu inaccessible, mais il n'est pas objet d'une parole d'interdit.

que développe le récit de Genèse 2-3. Il faut supposer que, dans l'économie du texte, ce commandement est nécessaire pour que l'on passe à une phase nouvelle où d'autres dimensions de l'humain vont apparaître.

Troisième séquence (2, 18-25) :
Pour un homme, une « aide assortie ».

Cette séquence semble rompre le propos de la précédente. Apparemment, elle ne décrit pas les effets de l'interdit dans le comportement de l'homme, mais sans doute le présuppose-t-elle : il faut tenir compte, pour lire la suite, de ce que l'interdit a été dit. De nouveaux acteurs apparaissent, les animaux, la femme, et de nouvelles conditions pour la vie de l'homme, une nouvelle forme de loi.

« Il n'est pas bon que l'homme soit seul. » S'il y a ici la manifestation d'un « manque », ou d'un trait dysphorique, c'est Dieu qui le déclare, et non l'homme qui le ressent. Dieu parle – nous le savions depuis le verset 16 – et sa déclaration, faisant suite au commandement, introduit une nouvelle condition pour la vie de l'humain. La question n'est pas tant de savoir si Adam, comme individu, risque de souffrir de solitude dans son jardin, mais de savoir si cet homme, à lui tout seul, représente la capacité créatrice de Dieu et la totalité de l'humain. Comme le suggère Jean Calloud, on pourrait paraphraser la remarque de Dieu, en jouant sur les possibilités du français : il n'est pas bon que l'homme soit TOUT, seul ».

Compte tenu de l'enchaînement des séquences du récit, on peut suggérer que l'« aide assortie » représente un mode de relation particulier, conforme à ce qu'est l'homme au terme de la séquence précédente, une relation que l'homme lui-même doit expérimenter, dont il est le critère (« pour un homme », v. 20) sans en être le juge. Il y a deux épreuves pour cette mise en relation, pour cette différenciation : la première avec les animaux, la seconde avec la femme.

Les animaux.

Comme l'homme, « être vivant », les animaux sont modelés à partir du sol. Présentés à l'homme dans leur totalité, ils constituent le premier lieu d'exercice du langage et de la connaissance. Ce qui se passe avec les animaux dans l'ordre du connaître n'est pas sans rapport avec ce qui se passe avec les arbres du jardin dans l'ordre du manger. La connaissance des animaux se fait par le langage – pour lequel l'homme s'avère compétent – mais l'homme use des fonctions dénotative et taxinomique du langage : il peut donner un nom à chacun des animaux. L'ordre du langage ainsi conçu recouvre, découpe et différencie cette totalité donnée à connaître. Mais cet exercice « encyclopédique » de la connaissance et du langage ne satisfait pas la condition posée : il n'y a pas dans cet ordre d'« aide assortie » pour un homme. De même qu'il manquait un arbre pour la consommation de type alimentaire, il manque quelque chose à la connaissance de type encyclopédique[6]. La règle de la soustraction (« tout sauf ») joue encore ici.

Une seconde épreuve est engagée, mais la première n'est pas pour autant un échec que la seconde viendrait réparer : ce serait faire de la femme le substitut des animaux... L'apparition des animaux en ce moment du récit n'est toutefois pas indifférente, elle révèle une capacité de connaissance de l'homme, elle permet d'en évaluer la fonction et la limite. C'est en outre parmi les animaux que figure le serpent, le plus intelligent, le plus à même de répondre à l'homme sur le plan du connaître, comme on le verra plus loin. D'une séquence à l'autre, quelque chose se noue autour de la connaissance, et du régime proprement humain de la connaissance.

La seconde épreuve, qui comprend la « construction » et la présentation de la femme, commence par le sommeil de l'homme[7] qui fait écart avec l'activité cognitive manifestée précédemment. La création de la femme ouvre une brèche dans le savoir conscient de l'homme. Dieu construit la femme à partir de ce qu'il prélève du corps de l'homme, à son insu. La règle de la soustraction joue encore ici : quelque chose de l'homme est soustrait, qui n'est pas un objet manquant qu'il lui faudrait récupérer pour être complet ou totalisé. Au contraire c'est à partir de ce manque inconscient qu'il peut

6. On peut d'ailleurs se demander ce qu'il serait advenu de l'humain s'il avait trouvé sa plénitude et son repos dans la connaissance encyclopédique des animaux...

7. Je suis d'assez près sur ce point l'étude de J. Calloud citée plus haut.

reconnaître dans la femme, qu'il n'est pas, l'humanité qui est aussi la sienne. Le texte révèle ainsi la fonction humaine de la différenciation sexuelle ; elle n'est pas dans ce récit le premier trait caractéristique de l'humain (il y a eu déjà l'installation dans le jardin et la parole de la loi séparant l'humain des arbres) ; elle n'est pas un « défaut » d'humanité qu'il faudrait réparer[8]. Comme différenciation dans l'humain, elle est, avec l'inconscient qu'elle présuppose, et l'acte de parole qu'elle implique, la condition de reconnaissance de l'humanité : l'homme reconnaît son humanité dans la femme à partir de ce qui lui manque et dont il n'a pas conscience.

La reconnaissance de la femme met en œuvre la compétence langagière de l'homme, mais à la différence de ce qui se passait avec les animaux, il ne s'agit pas d'une compétence cognitive : il n'y a pas pour l'homme de savoir de la femme, par dénotation, il y a une parole adressée, une énonciation et un sujet parlant[9]. Encore faut-il remarquer que cette parole n'est pas adressée à la femme, ni à Dieu ; elle est dite « à la cantonade », devant Dieu qui est le témoin du sujet parlant. Il n'y a pas de « tu » dans cette déclaration, il n'y a pas non plus de « je » : le sujet parlant est posé ici à partir de la parole dite, à partir de la division qui sépare les os (« os de mes os »), la chair (« chair de ma chair »), et le langage lui-même (« elle sera appelée *Issâh* car elle fut tirée de l'homme – *Is* – celle-ci »). Le langage dénotatif (un nom pour une chose) fait place au langage « poétique » (un signifiant jouant avec un autre signifiant). Et l'homme se trouve re-nommé dans cette opération. « L'homme nomme la femme, mais il ne pouvait le faire qu'en se nommant lui-même dans le même acte[10]. »

L'homme reconnaît son humanité à partir de ce qui lui manque, à lui l'homme, et que la femme ne vient pas compléter. Il n'y a pas ici de totalité reconstituée, la règle du « tout sauf » demeure, mais elle ouvre sur la découverte et l'affirmation de l'unique (« cette fois-ci... celle-ci »). Cette corrélation

8. Ce récit diffère de tous les mythes de l'androgyne. On pourra le comparer par exemple aux diverses relectures qu'en fait Michel Tournier dans plusieurs de ses récits, par exemple : « La famille Adam » *(Le Coq de bruyère)*, « La légende de la musique et de la danse » *(Le Médianoche amoureux)*. Voir Arlette BOULOUMIÉ, *Michel Tournier. Le Roman mythologique*, Paris, José Corti, 1988.

9. Sur ce point, je renvoie au très beau commentaire de P. BEAUCHAMP, *Accomplir les écritures*, p. 129-137.

10. *Ibid.*, p. 130.

se retrouve au verset 24 dans un énoncé en forme de loi : « l'homme quitte son père et sa mère et s'attache à sa femme, et ils deviennent une seule chair ». Cette règle peut être une reprise de la loi énoncée plus haut dans l'interdit alimentaire (v. 16-17), mais adaptée à l'état de l'humain à ce moment du récit : l'humain est *homme et femme*. Il ne s'agit pas de remplacer l'union aux parents par l'union à la femme, mais d'articuler la séparation d'une totalité (père-mère) à l'affirmation d'une unicité (« une seule chair »). L'Un n'est présent que dans le lien de l'Adam et de la femme qui seront une seule chair dans la parole. L'unité est dans le rapport unique entretenu avec celle-ci [11]. Ils sont une seule chair, mais c'est la parole qui fait le lien unique où ils se reconnaissent.

On pourrait ainsi comprendre le verset 25 : « Et tous deux étaient nus [...] et ils n'avaient pas honte. » Parce que le lien de la parole fait l'unicité dans la chair, le corps, que rien ne vient cacher ou représenter, n'est pas spectacle de la différence, ou image d'un manque à complémenter. La différenciation sexuelle manifeste une division, plus « primitive » dans la constitution de l'humain, à laquelle répond la parole proférée. On verra plus loin comment la séduction du serpent ne concerne le regard sur les choses désirables qu'après avoir subverti la parole.

Quatrième séquence (3. 1-7) :
La science du serpent.

Le récit introduit un nouvel acteur, le serpent, son dialogue avec la femme, et les conséquences de ce discours. On ne cherchera pas à décoder le « symbolisme » du serpent ; le texte nous donne de suffisantes informations pour préciser la place qu'il occupe dans le dispositif d'ensemble.

Le serpent fait partie des animaux que le récit a déjà introduits dans leur rapport à l'humain ; mais c'est, pourrait-on dire, un animal « superlatif » : « le plus rusé des animaux ». Il porte à l'extrême une caractéristique animale : serait-il le plus animal des animaux ? Mais pour dire ce trait caractéristique (traduit

11. P. BEAUCHAMP, *Accomplir les écritures,* p. 133.

habituellement par « rusé »), le texte emploie un terme hébreu qui qualifiait l'humain au verset 25 (*arum*, traduit en général par « nu »[12]) : serait-il le plus humain des animaux ? Le serpent occuperait donc dans ce récit une place limite, extrême, parce qu'il parle. Les animaux, on se le rappelle, avaient rapport au langage : ils étaient nommés par l'homme, mais l'homme seul faisait acte de parole adressée, devant la femme. Le serpent introduit dans le récit un régime de langage nouveau : il parle à la femme. On peut alors s'attendre à ce que cette prise de parole fasse écart et crée un trouble, par rapport aux deux régimes de langage précédents impliquant l'homme et l'animal d'une part, l'homme et la femme d'autre part. Si l'on observe en outre que le discours du serpent reprend, pour la retourner, la parole du commandement (2, 16-17)[13], on peut prévoir qu'il aura pour effet principal le brouillage et la subversion de la parole, et plus précisément, le brouillage des rapports entre le *dit* et le *dire*, entre l'énoncé du discours (pour savoir et désigner) et l'acte de parole (pour lier).

Le serpent subvertit la parole et du côté du dire et du côté du dit[14].

Du côté du dire.

Alors que, en 2, 16, l'homme reçoit le commandement comme une parole adressée que rien ne vient justifier ou expliquer du côté de Dieu, en 3, 1-4, le serpent détache l'énoncé de la loi pour lui-même (et le déforme, comme on le verra) et raconte les circonstances et les motifs de son énonciation (Dieu sait bien que… donc Dieu dit[15]). Il sépare le *dit* du *dire*. Et il prétend dévoiler les raisons de l'interdit de la loi ; l'énoncé du commandement ne renvoie donc plus à l'altérité de la parole, mais à une stratégie de Dieu qu'on peut totale-

12. La version des LXX n'a pas cette ambivalence, elle qualifie le serpent de *phronimos*, « rusé ».

13. Dans une lecture guidée par le vraisemblable, on pourrait s'étonner que le serpent parle à la femme d'une loi prononcée alors qu'il n'y avait pas encore de femme… Mais s'il s'agit de montrer, avec le serpent, la subversion de la parole de l'homme à la femme (v. 23), c'est bien à la femme que le serpent doit parler ; et s'il s'agit de subvertir la règle de parole qui constitue primitivement l'humain, on peut comprendre que le serpent reprenne la première parole adressée à l'homme par Dieu.

14. Je suis ici les propositions de lecture de P. Beauchamp, *Accomplir les écritures*, p. 138 s.

15. On lira l'analyse que P. Beauchamp fait de la jalousie, *ibid.*, p. 145-146.

ment dévoiler[16] et où il n'est question que du savoir (Dieu sait bien... que vous saurez). Dieu est intégré dans le régime du « tout savoir » où la parole comme telle n'a plus sa place. Revanche de l'animal, objet de connaissance, qui laisse entendre que tout est objet du savoir, et que l'homme doit être un « être scientifique », un être sachant plutôt qu'un être parlant, faisant en même temps l'impasse sur ce qui s'est auparavant constitué pour l'homme dans l'insu, dans la différence masculin-féminin, dans les rapports de la parole et de la chair et dans le devenir des générations.

Du côté du dit.

Le Serpent cite, *à peu près*, l'énoncé de l'interdit (2, 16-17), mais il en retourne la logique. Il fait de la règle de la soustraction (« tout sauf ») un programme d'addition, insistant sur ce qui manque à la consommation (« Dieu a dit : vous ne mangerez pas tous les arbres ») et faisant de cet objet manquant la condition même de la maîtrise et de la plénitude[17]. Dans la logique du serpent, l'arbre interdit est un arbre consommable, mais qui manque à la consommation. Il n'est plus là, séparé, pour attester l'altérité de Dieu qui parle à l'homme ; mais il est l'arbre que Dieu se réserve pour y avoir placé sa toute puissance de savoir, s'il est lui-même une totalité inentamée, mais menacée par l'homme. Ce Dieu-là menace l'homme de mort, parce qu'il est lui-même menacé : là où se trouvait le don de la vie, le serpent met la mort en balance entre Dieu et l'homme. Il suggère la faiblesse de Dieu devant un homme qui n'a qu'un geste à faire pour être TOUT comme Dieu (comme ce Dieu-là).

Il est en effet question d'être *comme* Dieu. La logique du serpent le permet. Si en effet Dieu n'est plus cette altérité, d'où vient la parole à croire ? Mais s'il est défini par des propriétés (le tout savoir, la connaissance du bien et du mal...), il suffit d'acquérir les mêmes propriétés pour avoir la même définition et être *comme* lui... Et le serpent dit que Dieu sait comment il faut s'y prendre : manger du fruit de l'arbre, ouvrir les yeux, connaître. Le serpent est « épistémologue », il a une théorie de la connaissance : voir c'est savoir dans l'im-

16. Voir P. BEAUCHAMP, *Accomplir les écritures*, p. 146.
17. Voir M. BALMARY, *Le Sacrifice*, p. 259-260.

médiateté de l'évidence (« ouvrir les yeux »), c'est la marque la plus sûre de la science (exacte) qui ferait l'impasse sur la médiation du langage et sur l'engagement du sujet dans la compréhension ; notre récit a mentionné plus haut les limites de cela lorsque l'homme a fait la connaissance des animaux.

Le serpent subvertit la parole du commandement du côté du dire et du côté du dit : il tend à effacer les deux séquences précédentes du récit pour mettre face à face l'homme et les arbres « séduisants à voir et bons à manger ». Et de fait, ils mangent du fruit, non pas en référence à l'interdit, mais parce qu'ils voient l'arbre bon à manger. Mais il n'y aura pas simple « marche arrière » du récit, car l'humain, en 3, 6, n'est plus ce qu'il était en 2, 15. L'acquisition de la connaissance concerne l'humain tel qu'il est maintenant, dans le rapport humain-animal, dans la relation homme-femme, et dans la fonction jouée par la parole et le langage dans ces rapports.

Ils mangèrent, leurs yeux s'ouvrirent et il connurent... qu'ils étaient nus. Le serpent a parlé à la femme, la femme donne à manger à l'homme. Il ne s'agit pas ici de faire porter à la femme la responsabilité de la « faute » de l'homme, ni l'apanage de la séduction, mais de noter à partir du détournement de la parole, l'inversion des rapports et des médiations posés précédemment dans le récit, de l'humain à l'animal, de l'homme à la femme. Le connu (l'animal) substitue le savoir au croire ; entre l'homme et la femme le pouvoir-savoir (le fruit) tient lieu de la parole qui constituait le lien unique de leur différence.

« Leurs yeux s'ouvrirent et ils connurent qu'ils étaient nus ». On pourrait goûter ici l'ironie du récit : où l'on s'attendait à tout connaître, du bien et du mal, dans l'évidence de la vision, c'est la nudité qui s'offre au regard. Mais peut-être cette nudité à voir est-elle la figure même du « tout vu-tout su » : immédiateté des choses offertes à un regard « scientifique ». Le sujet n'y est plus concerné, la nudité n'appelle même plus une possible honte, elle ne demande qu'à être habillée. Qu'en est-il alors de la relation de l'homme et de la femme ? Est-elle prise seulement dans l'ordre du visible. Il n'y a plus de parole échangée, mais le danger du regard hostile. Il ne reste qu'à s'habiller de feuilles, à se cacher parmi les arbres.

Cinquième séquence (3, 8-18) :
La sentence de Yahvé.

Yahvé Dieu intervient à nouveau dans cette séquence, et pour une *sentence*. L'homme et la femme reconnaissent Dieu à son pas (ou à sa voix, dans la version des LXX reprise par la TOB), médiation nouvelle de la relation de Dieu à l'humain, conforme à sa situation présente. Si la parole de Dieu atteint à nouveau l'homme, c'est par la voix à laquelle il réagit, au plus près de la chair[18] : la voix est en effet ce qui lie au corps la parole entendue.

Dieu, qui s'est signalé par la voix, parle à nouveau, et son discours est plus une sentence que l'annonce d'un châtiment. Cette parole déclare, dans la situation présente, le statut et les rapports de l'animal, de la femme et de l'homme. Le texte a posé une première version de ces rapports dans les séquences précédentes ; dans leur réponse à Dieu, la femme et l'homme les reprennent pour se justifier : c'est la femme qui m'a donné de l'arbre ; c'est le serpent qui m'a séduite. Entre ces trois acteurs l'équilibre que soutenait la parole est fragile devant la séduction (les arbres sont séduisants à voir, le serpent séduit par son discours).

La sentence se déroule en trois temps. Elle s'adresse successivement à l'animal, à la femme et à l'homme.

Le serpent.

Le discours au serpent peut être lu comme une sanction («parce que tu as fait cela...») qui concerne ses relations aux autres animaux, à la terre et à l'humain (à la femme). La «malédiction» est pour le serpent une marque de la parole qui peut être comparée et à la dénomination des animaux par l'homme, et à la prise de parole du serpent. Elle est une manière de dire cet animal dans son rapport à l'homme. Le serpent est replacé parmi les animaux, posé comme UN parmi tous les animaux, remis à sa place au plus près de la terre (l'homme sera plus loin replacé aussi dans son rapport à la terre, mais différemment).

18. Sur la signification de la voix, voir D. VASSE : «La voix, la folie et la mort», dans B. Sesboüé (éd.), *Annoncer la mort du Seigneur*, Lyon, Profac, 1971, et *L'Ombilic et la Voix*, Paris, Éd. du Seuil, 1974.

Le discours de Dieu instaure un rapport nouveau entre le serpent et l'humanité, en posant une hostilité entre le lignage du serpent et celui de la femme. Un thème nouveau apparaît alors dans le récit, celui de la *descendance*. Nous apprenons ici que la femme a une descendance, et que la génération est une question d'humanité. L'hostilité n'est pas entre humanité et animalité dans leur généralité, elle n'est pas singulièrement entre ce serpent et cette femme à cause de leur aventure précédente. Le conflit s'exerce entre les descendances, entre les lignages. L'humanité de la descendance de la femme se gagne contre la descendance du serpent, et en porte la blessure. Le serpent, nous l'avons vu, représente cette animalité qui a pris la parole, pour la caricaturer dans un discours de séduction identifiant l'humain à l'immédiateté du tout-savoir et de l'évidence. On peut supposer que la descendance du serpent porte avec elle l'évidence de son identité, alors que l'identité proprement humaine de la descendance de la femme n'ira pas sans altérité ni sans engagement du sujet. Mais le lignage de la femme est *inséparable du serpent*[19]. Autrement dit, il n'y a pas d'humanité transmise et continuée, par la femme qui sera dite « mère des vivants », sans ce rapport hostile au serpent, sans neutralisation de cet animal particulier, sans blessure subie pour qui écrase cette tête menaçante. Quelque chose est dit là de l'enjeu et des risques de la génération humaine : à quel prix se différencie-t-elle de la reproduction animale et de son immédiateté ? À quel prix, pour la chair, se dégage-t-elle de cette altérité mensongère qui se substitue à l'altérité de la parole ? À quel prix résiste-t-elle à sa séduction ?

La femme.

Il n'y a pas de sanction pour la femme, Dieu ne lui reproche rien, ne fait aucun rappel de son aventure, mais il déclare pour elle un statut nouveau, les conditions auxquelles elle sera dite plus loin « mère des vivants ». Posée dans sa relation aux fils, et à l'homme, la femme engage l'humanité des humains dans de nouveaux rapports.

19. On en trouverait une attestation dans le chapitre 12 de l'Apocalypse de Jean, avec la vision de la femme prête à accoucher et affrontée au Dragon qui cherche à dévorer l'enfant dès sa naissance.

a. L'enfantement des fils. – Il est encore ici question de la descendance, d'une humanité transmise, dans la peine et la douleur. Le thème de la descendance doit être situé dans l'ensemble du parcours de l'humain que déploie notre récit : l'humain est placé, unique, dans le jardin, puis différencié dans une relation à la femme que noue l'acte de la parole ; il est maintenant déployé dans la descendance qui diffère toute immédiateté. Ni l'homme, ni la femme, ne sont toute l'humanité ; elle passe avec la transmission et la génération ; elle se diffracte dans les fils ; et la femme porte blessure, en sa propre humanité, de cette « différance ». Ici encore joue la règle de la soustraction, la loi de la totalité altérée. On pourrait dire que la femme porte la douleur de ne pas être à elle seule l'humanité qu'elle transmet. C'est maintenant la génération qui supporte la différence signifiante, abolie par la manducation de l'arbre.

b. Le rapport à l'homme. – La relation de l'homme et de la femme a été nouée par l'acte de parole (2, 23), puis représentée au plan du savoir et du regard (3, 7) ; elle est maintenant posée dans l'ordre du désir, par la corrélation de la *« convoitise »* et de la *« domination »*.

La domination de l'homme sur la femme, ici déclarée, n'institue pas un pouvoir masculin « de droit divin ». Convoitise et domination signalent d'abord une dissymétrie, une différence : il n'y a pas entre l'homme et la femme relation symétrique de désir à désir, chacun comblant, comme objet, le désir de l'autre. Les désirs ne « bouclent » pas. L'écart entre convoitise et domination signale plutôt la forme spécifique du désir dans sa « version » féminine, et son caractère plus subtil, qu'on pourrait interpréter de la manière suivante. S'il y a pour tout humain un désir de l'autre, il y aurait, pour la femme, un désir du désir de l'autre. Dieu n'établit pas le pouvoir des hommes, il révèle à la femme la faille « insue » où il sera question pour elle d'entendre l'altérité de la parole.

L'homme.

La sentence de Dieu prend pour l'homme la forme d'une sanction doublement motivée : il a écouté la voix de sa femme, il a mangé de l'arbre interdit. Ces deux éléments doivent être corrélés entre eux et mis en relation avec la parole du commandement initial. L'homme n'a pas seulement transgressé l'interdit, il a écouté la voix de la femme. Et cela touche au statut de la parole. Il peut y avoir dans l'écoute de la voix une séduction de la parole, qui rejoint la séduction des arbres offerts au regard après le discours du serpent. La voix peut transformer la parole en objet pour la jouissance[20], en totalité sans faille et sans effet de séparation. La séduction de la voix neutralise la règle de la soustraction dans la totalité ; la sentence de Dieu la rétablit, sous un autre mode, par la malédiction du sol.

Le sol est maudit – et non pas l'homme. S'il résiste au travail de l'homme, s'il ne répond pas immédiatement à ses besoins comme une terre nourricière, c'est qu'il porte une marque de la parole, une marque négative : la malédiction. L'homme trouve difficulté et peine dans son travail ; il peut sans doute y répondre par la technique et le savoir-faire ; mais la sentence de Dieu révèle que les questions techniques sont aussi des questions d'humanité : c'est dans ce travail, dans cette non-immédiateté, que l'homme a affaire à la parole. Pour lui, le rapport au sol s'en trouve changé, il est devenu signifiant.

Le sol n'est donc plus la terre immédiatement nourricière, il est le lieu de l'histoire de l'homme, et d'une histoire signifiante. Le verset 19 dessine un trajet, du sol au sol (« tu retourneras au sol puisque tu en fus tiré, car tu es glaise et tu retourneras à la glaise »), mais ce parcours n'est pas vain, il ne va pas simplement du même au même (un tour pour rien), il signale le statut d'une vie mortelle délimitée (« pas pour toujours », v. 22), parce que le sol porte la marque de la parole. Le sol maudit serait ainsi cette part de non-sens qui brise l'immédiateté de l'identité et du sens ; un parcours est ouvert pour une histoire d'humains, pour l'attestation de la parole, pour une quête de signification.

Cette séquence de sentence de Dieu n'est donc pas à prendre comme un châtiment infligé à l'homme, ou comme la réalisation de la menace suspendue sur lui dès le début. Le discours de Yahvé n'exploite pas la culpabilité, il fait œuvre de révélation de la condition d'humanité de l'homme (vivant mortel), et de ce qui peut y rappeler l'interdit initial. Pour un

20. La littérature en donne plusieurs exemples, à commencer par la voix des Sirènes à laquelle Ulysse est affronté. On pourrait citer également cet air de Marguerite dans le *Faust* de Gounod : « Parle encore... » La séduction de la voix peut neutraliser l'effet de la parole.

homme qui s'est trouvé défini, à partir du serpent, par le « tout savoir sous le mode de la manducation d'un fruit », le discours de sentence de Dieu révèle une ouverture. Pour un homme, fondé par la parole de Dieu, ce qui le constitue, ce qui fait rapport humain (entre homme et femme, avec la descendance, avec le champ de son travail), ce n'est pas la connaissance ou la maîtrise du savoir. L'humain mortel reçoit sa vérité au-delà (en deçà) de ce qu'il en sait.

Sixième séquence (3, 20-24) :
L'homme vivant.

Il n'y a pas condamnation à mort pour l'homme, au contraire. Le récit s'achève sur une déclaration de vie, sur les conditions de la vie, à partir du nouveau nom de la femme, et à partir de l'inaccessibilité de l'arbre de la vie.

La femme reçoit un nouveau nom, que l'homme lui donne, un nom qui la situe au plus près de la question de la transmission de la vie. Elle s'appellera *Ève*, « parce qu'elle fut la mère des vivants » (le grec de la LXX l'appelle *Zoê*, la Vie). La femme transmet la vie, mais, en même temps, l'arbre de la vie est rendu inaccessible. Telle semble être la condition des hommes vivants : la vie est transmise, et cependant elle est inaccessible comme « objet » pour la manducation.

L'arbre de la vie n'est pas soumis à un interdit, comme le fut l'arbre de la connaissance du bien et du mal, il est rendu *inaccessible*. La vie n'est pas pour un humain un bien appropriable (un objet-valeur). Sa mise à l'écart, son *inaccessibilité*, n'en fait pas toutefois un objet réservé à Dieu (ce serait revenir à la logique du serpent). Il faut éviter que la vie soit traitée comme la connaissance, acquise comme un bien consommable ; éviter que la possession de la vie comme valeur pose l'homme comme un simulacre de Dieu, comme la réplique imaginaire d'un Dieu dont le trait caractéristique serait la durée indéfinie [21].

21. On peut ainsi rapprocher ce que dit le texte de ces deux arbres singuliers : si on mange le premier arbre, on meurt certainement ; si on mange du second, on vit pour toujours…

La figure de l'arbre inaccessible rappelle en fin de récit ces arbres signalés au début (2, 9), soustraits à la totalité des arbres séduisants à voir et bons à manger. L'arbre de la vie n'est pas interdit, comme le fut l'autre ; il est inaccessible. On ne revient pas à la situation initiale pour la répéter avec ce deuxième arbre. L'inaccessibilité de l'arbre de la vie n'est pas un substitut pratique de l'interdit ; elle instaure l'écart autour duquel se structure l'homme vivant mortel. Quelque chose doit être mis à l'écart pour que la vie humaine soit possible ; cette mise à l'écart vient se substituer à l'écart réalisé précédemment par la transgression. L'inaccessibilité de la vie, pour un homme qui vit, qui reçoit et transmet la vie, n'est pas le châtiment infligé à cause de la transgression, mais l'équivalent réel de ce que fut la transgression de l'interdit dans la constitution de l'humain.

Bilan : « C'est ainsi que les hommes vivent. »

Il s'agissait de faire une lecture globale du récit de Genèse (2-3), en suivant pas à pas l'agencement des figures qui le tissent et en signalant les chemins d'interprétation qu'il ouvre. Sans le prendre comme une anecdote dont la vraisemblance serait bien douteuse, ni comme une explication des origines de l'homme aujourd'hui bien dépassée au regard de la science, ni comme un récit symbolique où chaque symbole devrait être décodé, nous avons suivi dans ses figures un parcours de la constitution de l'humain et le développement d'un modèle « théorique » (mais figuratif) pour la compréhension des conditions de l'humain vivant.

Rappelons, pour conclure, les grandes lignes de ce parcours. Il est articulé globalement par l'espace : il y a le jardin et la sortie du jardin. La condition de l'homme, déclarée par Dieu, et vécue *hors* du jardin prend sens et peut s'interpréter à partir de ce qui se passe *dans* le jardin.

Dans le jardin-hors du jardin : la coupure est radicale, sans aller-retour autour de la limite que souligne le chérubin, et sans nostalgie de l'homme qui, en fin, ne dit rien de la condition qui est la sienne. La situation de l'homme dans la jardin, son aventure primitive, restent inconscientes et nécessairement refoulées : c'est une condition de possibilité de l'humain plus qu'un état paradisiaque dont il aurait joui et dont il serait déchu ou privé. Plutôt que de comparer imaginairement (et avec une certaine nostalgie) un avant et un après, nous sommes invités à lire dans la condition finale de l'homme ce qui persiste de son aventure primitive, de cette autre scène qui rend la vie des humains interprétable, et à interpréter.

On pourrait dire que la vie hors du jardin, c'est la vie expérimentée, le champ des phénomènes observables, alors que le jardin constitue une autre scène, ou encore le plan de la théorie où s'expriment les «lois» (au sens scientifique du terme) qui permettent de rendre compte des phénomènes. De même que les lois physiques ne sont pas les causes des phénomènes observés, mais leur interprétant dans le cadre d'une théorie, les événements du récit originaire (dans le jardin) ne sont pas les causes de la condition humaine actuellement observable, mais des éléments d'un modèle théorique qui en permet l'interprétation. Cette théorie a la forme d'un récit, elle s'agence par figures et non par concepts et catégories.

Dans le jardin se déploient plusieurs phases de l'humain et de son rapport à la *totalité* et à l'*altérité*. Dans chaque phase apparaît la règle de la soustraction (il ne s'agit pas simplement du manque). Elle affecte la totalité à laquelle l'homme est corrélé, elle marque l'homme lui-même d'une division qui ouvre à l'altérité de Dieu, de Dieu qui parle. Quelque chose est soustrait à la totalité, mais cette soustraction n'est pas la privation jalouse d'un bien appropriable (sauf dans la logique du serpent) : elle atteint l'homme en deçà de sa conscience claire. Quelque chose de la totalité est altéré (qu'elle soit totalité de nourriture, de connaissance, d'humanité sexuée), de sorte qu'elle ne peut être l'image de la plénitude humaine, ou de l'humain comme totalité achevée. Cette règle de soustraction, d'altération de la totalité est liée dans le récit au statut de la parole. Celle-ci apparaît du côté de Dieu avec la prescription (et l'interdit), du côté de l'homme avec la dénomination (et sa limite pour un humain) et avec l'interjection poétique (qui est parole d'un être divisé, 2, 23).

Face à cet ensemble, le texte dégage, en contrepoint, un autre régime, celui d'une *totalité close*, comblante, où l'homme pourrait réaliser et représenter seul sa plénitude : une totalité où tout manque serait comblé, où tout serait objet de savoir dans l'évidence des yeux ouverts, dans l'immédiateté de la dénomination ; où l'homme trouverait son complément et son image, et où il ferait sa vie sans la mort. Cette totalité est celle d'une jouissance de l'autre, sans faille, sans délai... mais sans parole. Dans ce régime, tout manque est à combler, toute soustraction est privation d'un bien accaparé par un rival, maître de cette totalité close, supposé savoir, supposé détenir la clef de la jouissance impossible qu'il interdit de manière perverse[22].

Deux régimes de la totalité que l'humain rencontre ; mais notre récit ne pose pas entre eux une alternative, il ne les présente pas comme l'objet d'un choix conscient et résolu pour l'homme ; il place l'humain à l'articulation des deux. Le serpent médiatise le rapport entre ces deux régimes de la totalité. Il n'est ni un anti-homme, ni un anti-Dieu[23], il est l'un de cette totalité, cette part qui se retourne pour ouvrir la voie d'un désir imaginaire, en opérant à la fois sur le regard et sur la parole. La rhétorique du serpent détourne la parole du lieu (à croire) de son énonciation pour la réserver à la logique de l'énoncé, et à la séduction de la voix ; elle fait passer de l'écoute au doute, de la foi à la jalousie. Le serpent opère sur le regard, il fait du *voir* le moteur du désir : il ne fait pas voir ce qu'on ne voyait pas, il fait désirer ce qu'on voit. Par ces deux opérations la totalité s'offre à l'homme comme son complément comblant et immédiat, image offerte de Dieu sans foi et de la vie sans mort.

C'est à partir de là que l'on peut tenter d'interpréter la « faute » qu'on aime à lire dans ce récit (bien qu'il ne parle ni de « faute » ni de « péché »). La transgression apparaît ici comme un élément constituant de l'homme ; elle n'est pas une simple révolte, ou un mauvais choix. Elle signale que la corrélation des deux régimes de la totalité signalés plus haut désigne pour le sujet humain une place impossible à tenir (« à l'impossible tous sont tenus ») où se loge le refus initial d'une condition humaine altérée, fondée par l'altérité, une place où toujours l'homme doit être « sauvé », dès l'origine.

22. On peut rappeler ici les analyses fortes que Maurice Bellet propose du Dieu pervers : *Le Dieu pervers*, Paris, Éd. Desclée de Brouwer, 1979.

23. Le serpent n'est pas un illusionniste, même s'il est menteur à cause de la torsion de la parole. Il ne dit pas des choses inexactes, au contraire. Tout ce que dit le serpent arrive comme une réalité humaine, une réalité de l'homme qui refuse (ou oublie) la division par laquelle il est ouvert à l'altérité de Dieu.

Il ne s'agit donc pas de choisir un régime (le bon) contre un autre (le mauvais), mais de montrer, par le récit, que la totalité altérée (marquée par la soustraction) ouvre aussi la fascination de la plénitude, mais la fascination déçue (« leurs yeux s'ouvrirent et ils virent qu'ils étaient nus »). Le *manque à être*, résultant de la règle de la soustraction, demeure en l'homme comme une perte à combler, sans cesse, par tous les moyens du savoir et du vouloir. Faute de pouvoir jouir d'une totalité pleine, l'homme recherche la jouissance de ce manque même, mais qui n'est plus articulé à la parole : jouissance de ce vide où s'entretient la vie que l'homme se fait, refus du don en ce qu'il est réellement, comme altération et division du sujet, en vue de la jouissance de ce qu'il paraît être comme objet-valeur. Le texte de Genèse 2-3 dessine ainsi trois attitudes, ou dispositions fondamentales, pour cette « faute » : la *jalousie* qui veut savoir les (bonnes ou mauvaises) raisons de la parole plutôt que croire la parole donnée ; *l'orgueil* qui veut avoir plutôt que recevoir ; le *mensonge* qui construit (ou imagine) le même comme figure de l'autre plutôt que de supporter le non-sens de la division (et de l'altération) qui ouvre à la parole et qui confie à l'Autre la vérité du sujet.

« C'est ainsi que les hommes vivent. »

La fin du récit déclare les conditions effectives de la vie humaine sur la base de l'« aventure » antérieure. On ne recommence pas l'histoire, on ne redit pas l'interdit initial – même s'il est transgressé, il reste posé, à l'origine de l'humain –, mais quelque chose vient s'y substituer dans la situation effective de l'homme. La condition humaine est sous le signe de la peine ou de la résistance, qui deviennent les médiations de l'altérité pour un homme fasciné par la totalité, mais institué comme le dépositaire de la vie.

Pour la femme, c'est la relation à l'enfant ; la réalisation de l'humain est distanciée, médiate, différée. C'est aussi la relation à l'homme : le désir et la domination créent entre l'homme et la femme un rapport humain, plus que la connaissance qu'ils ont l'un de l'autre, yeux ouverts. Ce qui fait lien entre l'homme et la femme reste « insu » : manque à être (et à savoir) pour chacun, dont le double jeu du désir fait trace.

Pour l'homme, c'est le rapport au sol, sa résistance plus que son hostilité. La terre n'est plus la figure d'un Autre qui répondrait immédiatement à tout besoin. Cette résistance fait médiation, elle marque la délimitation de l'humain, sa finitude et son histoire entre naissance et mort.

Condition de l'homme vivant et mortel pour qui la vie, qu'il transmet, reste inaccessible comme bien, mais toujours à recevoir comme don de la parole. Le récit de Genèse 2-3 raconte l'effet de ce don constitutif qui ne peut être approprié comme un objet. L'effet de ce don est altération, soustraction dans la totalité que l'homme s'objecte ; ce don demeure, se donne et se révèle sur le fond d'un refus corrélatif qui s'y oppose et le méconnaît.

5

Le péché, la mort et la grâce

Lecture de l'épître aux Romains (5, 12-21)

Avec ce passage de l'épître aux Romains, nous abordons l'un des «piliers» de la réflexion théologique sur le péché originel. En thématisant les relations entre Adam et le Christ, entre péché et mort, entre loi et grâce, le discours de Paul offre la forme théologique d'une relecture chrétienne du récit de Genèse 2-3, sans en être véritablement un «commentaire». À part le nom d'Adam, on n'y retrouve en effet aucun des éléments figuratifs du récit du jardin d'Éden.

Le texte de Paul propose plutôt l'élaboration théorique d'une anthropologie de la grâce. Affirmant d'emblée la relation radicale du sujet humain au péché et à la mort, il distingue deux dispositifs, l'un référé à la loi, l'autre référé à la grâce et à la vie donnée. Ces deux régimes concernent donc en chaque homme et en tous les hommes l'articulation fondamentale de la vie et de la mort et les conditions de la subjectivité singulière. Il y a entre eux une corrélation qui n'est ni une symétrie ni une contradiction. Le discours de l'épître souligne plutôt dans la dynamique qui articule ces deux régimes l'effet de l'œuvre de justice du Christ.

Parce qu'il touche à l'énigme du sujet humain et qu'il résiste aux mises en formes logiques trop élémentaires, ce texte est difficile à traduire, à lire et à interpréter[1]... Les pages

1. Pour cette étude, je me suis référé principalement à la traduction Osty. Parmi les nombreux commentaires de ce passage de l'épître aux Romains, on pourra lire : A. GEORGE : «Péché du monde-péché d'Adam chez saint Paul», dans *Le Péché originel*, Lyon, Profac, 1972; P. GRELOT : *Péché originel et Rédemption à partir de l'épître aux Romains. Essai théologique*, Paris, Éd. Desclée de Brouwer, 1973; E. HAULOTTE : «Péché-justice "par un seul homme". Romains, 5, 12-21», *Histoires d'un péché.*

qui suivent ne seront qu'une tentative de lecture. Dans un premier temps, j'essaierai de suivre l'agencement de quelques figures; je reprendrai ensuite ces observations dans une perspective interprétative d'ensemble. Mais auparavant, il faut situer les versets 12-21 dans le contexte du chapitre 5 de l'épître aux Romains.

LE CONTEXTE

La lecture des versets 12-21 pose toujours problème en raison de la forme argumentative du discours. Commençant par « c'est pourquoi » *(dia touto)*, cette séquence semble développer les conséquences ou les implications d'une situation qui a été décrite auparavant (v. 11 : « nous avons obtenu la réconciliation ») et appliquer les dispositions d'une logique qui a été exposée au début du chapitre 5 (« *Si* étant ennemis, nous fûmes réconciliés [...], *combien plus*, une fois réconciliés, nous serons sauvés... »). C'est donc l'expérience présente des croyants (v. 11), où se trouvent impliqués les sujets de l'énonciation (« nous »), qui justifie et soutient (« c'est pourquoi ») une interprétation de ce qu'est originairement la condition de l'existence humaine. Examinons rapidement cette première partie du chapitre 5.

[1] Étant donc justifiés par la foi, nous sommes en paix avec Dieu par Notre-Seigneur Jésus-Christ, [2] à qui nous devons d'avoir eu accès, par la foi, à cette grâce où nous sommes établis, et de nous vanter dans l'espérance de la gloire de Dieu. [3] Ce n'est pas tout; nous nous vantons encore des afflictions, sachant que l'affliction produit la constance, [4] la constance la vertu éprouvée, la vertu éprouvée l'espérance. [5] Et l'espérance ne cause pas de honte, parce que l'amour de Dieu a été répandu dans nos cœurs par l'Esprit-Saint qui nous a été donné. [6] Oui, quand nous étions encore faibles, c'est alors, au temps voulu que Christ est mort pour des impies.

Lectures inédites du péché originel, Lumière et Vie n° 131, 1977, p. 91-115; A.-M. Dubarle : *Le Péché originel dans l'Écriture*, coll. « Lectio divina » n° 20, Paris, Éd. du Cerf, 1958 (2e éd. 1967); S. Lyonnet, « La problématique du péché originel dans le Nouveau Testament », dans *Études sur l'épître aux Romains*, « Analecta Biblica » 120, Rome, 1989, p. 178-184; E. Haulotte : *Le Concept de Croix*, Éd. Desclée, coll. « Jésus et Jésus-Christ » n° 49, 1991, p. 251-263.

[7] À peine, certes, voudrait-on mourir pour un juste ; pour un homme de bien, oui, peut-être oserait-on mourir. [8] Mais Dieu confirme ainsi son amour envers nous : c'est quand nous étions encore pécheurs que Christ est mort pour nous. [9] À bien plus forte raison, maintenant que nous avons été justifiés par son sang, serons-nous donc sauvés par lui de la colère. [10] Si en effet, étant ennemis, nous avons été réconciliés avec Dieu par la mort de son Fils, à bien plus forte raison, une fois réconciliés, serons-nous sauvés par sa vie. [11] Ce n'est pas tout ; nous nous vantons encore de Dieu par Notre-Seigneur Jésus-Christ, par qui maintenant nous avons obtenu la réconciliation.

Deux événements qui affectent les croyants (« nous ») sont mis en relation, la *réconciliation* et le *salut*. Ils sont reliés temporellement (l'un est au passé, l'autre au futur), et dessinent l'espace d'un présent où se trouve l'énonciateur du discours. Ils sont de plus articulés dans une progression : le second excède le premier (« combien plus ») qui pourtant l'autorise (« si… combien plus »).

Le premier événement (passé), correspondant à la mort du Christ (événement qui semble n'avoir de raison que dans l'Amour de Dieu, v. 7-8), réalise la transformation (T1) d'une situation négative (nous étions *sans force*, *pécheurs*, *ennemis*) en situation positive (nous avons été *justifiés*, *réconciliés*). La seconde transformation (T2), future, est reférée à l'« espérance présente » (v. 3-5) ; elle n'opère pas comme une inversion de contenus, mais réalise ce qu'on pourrait appeler une *expansion surabondante* des contenus déjà posés : une fois réconciliés, nous serons sauvés. Cette seconde opération met en place dans le texte de nouvelles figures (l'Esprit-Saint, l'amour de Dieu, le don) qui semblent manifester ce qui présidait à la première opération.

$$\text{T1} : \text{A} \rightarrow \text{B}$$
$$\text{T2} : \text{B} \rightarrow \text{C}$$
$$\text{si } (\text{A} \rightarrow \text{B}) \text{ combien plus } (\text{B} \rightarrow \text{C})$$

De cette rapide présentation, nous pouvons retenir les points suivants qui nous aideront à lire la suite du chapitre. Le « salut » (C) n'est pas la situation symétrique ou la forme inverse du péché (A), mais plutôt l'expansion surabondante (excessive) de la réconciliation (B), et la manifestation du principe qui préside à la transformation (A→B)[2]. Cette dissymétrie entre *péché* et *salut* semble bien présente aussi dans la suite du chapitre 5.

On pourrait suggérer que c'est la situation présente du sujet («nous») qui creuse et maintient l'écart entre un passé et un futur, et qui empêche de les rabattre l'un sur l'autre comme deux états symétriques et contradictoires. C'est donc à partir de la situation présente des sujets croyants (B) et de la trace en eux de l'Amour de Dieu (l'espérance, v. 5) qu'il est possible d'interpréter l'articulation du péché (A) et du salut (C). L'énigme du sujet croyant et des conditions de sa constitution pourrait bien être l'enjeu du discours qui suit : qu'en est-il de la singularité (ou de l'unicité du *je* du sujet croyant?)

Le développement des versets 12-21 n'est pas le déploiement abstrait d'une construction conceptuelle, mais un discours d'interprétation référé à l'expérience du sujet croyant. Le «c'est pourquoi» qui ouvre la section 12-21 marque cela et note l'équivalence entre les deux sections. La règle de l'«excès incomparable» («si... combien plus») déclarée dans la première section peut être maintenant mise en œuvre dans la seconde.

UNE SEGMENTATION DU TEXTE

Ce passage globalement introduit par «c'est pourquoi» peut être divisé en deux séquences.

La première (v. 12-14) pose le premier terme d'une comparaison («de même que») dont le second terme n'est pas manifesté. On l'attendrait après le verset 14, et tous les commentaires soulignent cette rupture du discours.

Une seconde séquence, à partir du verset 15, reprend les éléments de la première (le péché, la mort, le «un seul homme») dans une série de parallélismes rompus («il n'en va pas du don comme de la faute»). Je ferai l'hypothèse que

2. Le salut signale de plus l'assurance du sujet dans une situation de jugement, un thème qui reviendra dans la suite du chapitre.

la règle de l'« excès incomparable » (« si... combien plus ») observée dans les versets 1-11, est à l'œuvre également dans la section 12-21, et que les ruptures de parallélismes, entre la première et la seconde séquence d'une part (« de même que /... »), et à l'intérieur de la seconde séquence d'autre part (« il n'en va pas de même pour le don et pour la faute »), en sont la trace discursive : là où au verset 15, on attendrait un second « de même » répondant à celui du verset 12, il s'agit sans doute d'entendre un « combien plus » rompant le parallélisme... L'économie de la grâce n'est pas l'équivalent positif de ce qu'est, en négatif, le régime du péché ; elle est *en excès* par rapport à lui, elle délimite sa prolifération et sa répétition (« là où le péché s'est multiplié, la grâce a surabondé »). Il n'y a donc pas de parallélisme ou de symétrie entre Adam et le Christ, entre le péché et la grâce ; il n'y a pas non plus de contradiction (ou bien-ou bien) entre l'un et l'autre... Mais il y a ici un discours qui déploie l'effet de la grâce dans le régime du péché, le don de la vie dans le règne de la mort.

La première séquence (v. 12-14) pose, à partir des acteurs et du temps, la règle ou la structure des liens entre péché et mort pour l'homme ; la seconde séquence (v. 15-21) développe la transformation de cette structure à partir de l'excès incomparable de la grâce : la logique du don rompt les parallélismes en direction d'une surabondance de la vie.

LES PARCOURS FIGURATIFS DANS LES VERSETS 12-21

Ce segment de l'épître aux Romains présente à la lecture une assez grande difficulté, à cause des ruptures et des apparentes répétitions qu'on y observe. Il paraît proposer des parallélismes qu'il rompt presque systématiquement. Qu'est-ce qui fait *tenir* un tel discours ? Quel univers sémantique s'y trouve articulé ?

La lecture procédera ici en deux temps. Il s'agira d'abord d'observer le texte, les figures qu'il convoque, les parcours où il les dispose et les structures qui donnent forme à ces parcours. Dans un second temps, je risquerai une interprétation, en proposant un point de vue à partir duquel tous ces agencements figuratifs pourraient trouver leur place.

Le péché et la mort (v. 12-14).

[12]Voilà pourquoi, de même que par un seul homme le péché est entré dans le monde et par le péché la mort, et qu'ainsi la mort a passé dans tous les hommes du fait que tous ont péché... [13]Jusqu'à la loi, en effet, il y avait du péché dans le monde, mais le péché n'est pas porté en compte quand il n'y a pas de loi ; [14]cependant la mort a régné, d'Adam à Moïse, même sur ceux qui n'avaient pas péché par une transgression semblable à celle d'Adam, lequel est la figure de celui qui devait venir.

On distinguera le verset 12 et les versets 13-14. Ceux-ci semblent en effet rompre le développement engagé par « de même que » au verset 12 ; ils présentent, comme une incise, une précision sur la figure du péché introduite précédemment en développant sur un axe temporel ce que le verset 12 pose comme une structure fondamentale.

J'appelle ici « structure fondamentale » un faisceau de relations entre « un seul homme », « le monde », « le péché », « la mort » et « tous les hommes ». Dans le discours de Paul, ces relations sont affirmées plus qu'elles ne sont expliquées ou justifiées. C'est une structure bien plus que le récit d'un événement empirique datable comme un commencement de l'histoire. Cette structure pose une sorte de préalable ou de postulat à partir duquel le discours se déploie : le péché et la mort (et leur relation) sont dans le monde à partir de l'homme, singulier d'abord, multiple ensuite, *comme une marque d'humanité dans le monde*. Étrange affirmation qu'il faut pourtant retenir comme base du raisonnement qui suit et comme point de départ pour notre lecture : dans le monde, partout où il y a péché et mort, il y a de l'homme, partout où il y a de l'humain (singulier et collectif) il y a péché et mort et un dispositif qui va du péché à la mort... Voilà le « trait d'humanité » qui indique que les humains ne se confondent pas avec les objets du monde...

Il nous faut tenir qu'il y a là un trait structurant et originaire qui concerne l'humanité des humains, et leur existence. Il ne s'agit pas d'une caractéristique de la *nature humaine* mais des conditions de possibilité du sujet humain singulier. Cette disposition concerne en effet tous les humains, mais tous *en particulier*, dans leur rapport à la *singularité* ; elle concerne *chaque un* des humains. Ne nous précipitons pas pour interpréter ou expliquer les raisons et les causes du lien ici affirmé entre péché et mort chez les humains.

Le texte pose au départ un acteur : « un seul homme » (l'homme en tant qu'un, dans son unicité). Rien ne dit qu'il s'agit du *premier homme* et que c'est *Adam* (de celui-ci, il ne sera question qu'au verset 14 lorsque le texte développera une « histoire » de la structure fondamentale qu'il noue maintenant). De cet homme donc, retenons pour le moment sa singularité : c'est l'humain en tant qu'il est un sujet singulier (et non pas une nature ou espèce humaine), en tant qu'il peut être désigné ou remarqué comme *un*. La corrélation entre le *péché* et la *mort* affirmée ici se trouve donc posée en référence à cette caractéristique des humains, à savoir qu'ils sont singuliers. Dans la totalité des humains, chaque *un* est concerné par le lien de la mort et du péché [3].

S'il en est ainsi, la *mort* dont il s'agit, liée au *péché*, n'est pas cet événement naturel ou biologique qui met un terme à la vie, elle est une mort qui concerne l'humain comme sujet. À partir du péché, il faut concevoir une « version humaine » de la mort. Il y a une histoire d'homme où la mort se trouve affirmée et dite, avant la vie. Y a-t-il, pour chaque *un*, entre péché et mort, un espace pour la vie ?

Cette structure fondamentale dont les liens restent encore à interpréter se trouve développée aux versets 13-14 sur un axe temporel. De nouvelles figures apparaissent alors : *Adam*, *Moïse*, *la loi*, et *Celui qui devait venir*. Pour la lecture de ce passage, j'essaierai de bien distinguer les figures qui nouent une

3. Peut-être est-il ainsi possible de rendre compte de cette expression difficile à lire (et à traduire) : « *eph'ô pantes êmarton* » (« du fait que tous ont péché »). La tradition ancienne lisait plutôt dans cette expression la solidarité de tous avec Adam « *en qui* tous ont péché ». L'expression grecque peut en effet être comprise : a. comme un relatif ayant pour antécédent « un seul homme » (à cause duquel, dans lequel, tous ont péché) ; b. comme un relatif ayant pour antécédent « la mort » (à cause de laquelle, en vue de laquelle, tous ont péché) ; c. comme une conjonction (parce que, du fait que, étant remplie la condition que, tous ont péché). Voir sur ce point S. LYONNET, « Le sens de *eph'ô* en Rm 5, 12 et l'exégèse des Pères grecs », op. cit. p. 185-202. On le voit, dans tous les cas, le texte pointe vers un nouage non explicité entre le péché et la mort d'une part, tous les hommes et un seul homme d'autre part, nouage qu'on tente d'expliquer en termes de causalité ou de responsabilité. Y a-t-il dans le péché une cause pour la mort ? Y a-t-il dans le pécheur singulier une responsabilité vis-à-vis de tous ? Quelle est la responsabilité de chacun dans la liaison du péché et de la mort ?

structure et celles qui développent une histoire où cette structure se déploie.

Pour les humains, le dispositif qui lie le péché et la mort est plus ancien que la loi : avant la loi, il y a du péché, même si, faute de loi, il n'y a pas imputation du péché. C'est donc que le lien entre le péché et la mort ne peut être interprété ou résolu avec la seule loi pour référence ; il n'est pas fondamentalement juridique, *la mort n'est pas d'abord un châtiment pour le péché,* car il aurait fallu alors une loi pour édicter la sanction, et il n'y en avait pas…

Référé à *un seul homme* le dispositif péché-mort concerne l'unicité du sujet, et il est plus fondamental que la loi ; mais quel discours alors pourra le prendre en charge, en dire la référence ? Le texte nous conduit ainsi vers la question de l'*origine.* La loi se saisit du péché, elle l'interprète à sa manière, elle explicite comme elle le peut son lien à la mort, mais ce faisant, elle l'amplifie (v. 20)… et elle ne donne pas la vie.

La loi figure ici une référence pour interpréter le dispositif péché-mort posé précédemment ; mais elle repère également une *temporalité.* Il y a un temps avant la loi («d'Adam jusqu'à Moïse»), un temps de la loi, et il y a «celui qui devait venir». C'est seulement là, dans ce cadre temporalisé, que le discours fait mention d'*Adam.* On ne peut donc simplement l'identifier au «un seul homme» du verset 12, il ne faut pas confondre les rôles[4]. Adam n'est pas chargé de la responsabilité du péché et de la mort pour tous, il n'est pas le modèle des pécheurs : la mort règne sur ceux qui n'ont point péché à sa manière[5]. Le rôle et la signification d'Adam sont à lire en relation avec deux autres personnages, inscrits eux aussi dans le temps : *Moïse* et *Celui qui devait venir.* Adam n'est pas une origine dont le reste découlerait, il anticipe, temporellement et/ou typologiquement, les deux acteurs auxquels est référé un «traitement» du

4. Cette distinction est fortement soulignée dans une étude de E. Haulotte dont je me suis beaucoup inspiré dans cette lecture : «Péché-justice-par “un seul homme”. Romains 5, 12-21», *Histoire d'un péché. Lectures inédites du péché originel, Lumière et Vie,* n° 131, 1977, p. 91-115.

5. Si l'on parle de *péché originel* à partir de Rm 5, on peut se demander si le péché d'Adam, comme tel, en est le point réellement originaire, ou s'il en est la première figure *dicible,* qu'un discours peut articuler en nouant les relations entre cet acteur et d'autres acteurs.

dispositif péché-mort affirmé plus haut, par la loi d'une part, par le don de la grâce d'autre part.

Le déploiement temporel de cette séquence n'est donc pas linéaire. Il s'agit moins de signaler la succession chronologique entre Adam, Moïse et Jésus-Christ que d'inscrire, avec le temps, une double relation d'Adam à Moïse d'une part, d'Adam à « Celui qui devait venir » d'autre part. Dans son lien à Moïse, Adam est, par anticipation, sous la mouvance de la loi qui, la première, donne un sens, un caractère dicible et articulable au dispositif péché-mort : à partir de la loi, on peut parler du péché en termes de *transgression*. Le lien d'Adam à « Celui qui devait venir » est d'un autre ordre, c'est celui de la « typologie », celui qui lie la *figure* et son *accomplissement*. Cette seconde relation n'est pas symétrique ou inverse de la première, elle l'englobe. Adam, qu'on peut dire transgresseur à partir de Moïse est révélé comme figure à partir de « Celui qui devait venir » et qui l'accomplit réellement.

Si entre Adam et « Celui qui devait venir » existe un rapport entre une « figure » *(tupos)* et son accomplissement, on peut supposer que « Celui qui devait venir » révèle et traite entre le péché et la mort l'enjeu *réel* de ce que la loi désigne et condamne comme transgression et de ce qu'Adam représente comme image (ou figure). L'accomplissement en Christ opère donc ET sur la loi comme référence interprétant le péché comme transgression, ET sur ce que la loi tente d'interpréter et de traiter et qui concerne, on l'a vu, la condition réelle d'un sujet humain pris dans le dispositif péché-mort, d'un sujet humain pour qui l'unicité (le fait d'être *un*) est concomitante d'un péché qui le propulse vers la mort.

De « Celui qui devait venir », le texte ne dit rien de plus ; il reste sans description ni nom propre : il viendra. On peut certes y voir le Christ, mais on peut aussi se contenter de ce que le texte énonce ici pour interpréter son rôle. Acteur temporalisé (il devait venir), il est comme exigé par la position de sa « figure » en Adam (figure-accomplissement) ; il marque le terme et la limite d'un régime d'humanité reposant sur le dispositif péché-mort que la loi, pour un temps, prend en charge. Sa venue, sans cause ici, fait brèche, mais ce qu'il accomplit n'est pas dit. Il n'y a pas, pour le moment, de « contenus » à opposer au système péché-mort, pas de représentation de ce qui, entre le péché et la mort, pourrait nouer positivement la singularité du sujet humain.

Figure de « Celui qui devait venir » (*forma futuri*, dit le texte latin) Adam appartient à l'itinéraire même du Christ : il prend consistance à partir de son accomplissement en Jésus-Christ, non pas comme antithèse du salut, mais comme le lieu même où s'effectue l'œuvre du salut (v. 20) et l'accomplissement de la loi, comme « forme » (ou structure) dans laquelle l'événement Jésus-Christ s'articule et s'épelle. S'il est dit « transgresseur », c'est parce que le pécheur est le point d'application de la loi ET de la grâce. S'il est dit « type » de celui qui devait venir, c'est parce que le pécheur est un homme mortel, dont la mort atteste que le péché concerne le don de la vie et la condition de son accueil pour un humain. Dans sa double articulation à Moïse et à « Celui qui devait venir », Adam est le prototype de l'humain sauvable (ou devant être sauvé).

De cette première séquence, retenons le dispositif péché-mort présenté comme un trait d'humanité, et l'axe temporel qui le traverse et en jalonne les transformations, en référence à la loi et au don de la grâce. Mais le lien entre le péché et la mort reste à lire à partir du texte dans son entier.

Pas comme la faute, ainsi est le don (v. 15-21).

La seconde séquence cerne le don de la grâce par une série de parallélismes rompus qui en soulignent la différence, à partir d'un énoncé de base ou d'un principe général qu'on peut traduire littéralement : « Pas comme la faute, ainsi est le don » (v. 15).

En suivant cette forme, cette logique de la comparaison de l'incomparable, le discours propose deux panneaux distincts et dessine les traits du don de la grâce, référé à la singularité du Christ, en traçant diverses dimensions de la faute referée à « un seul homme » : « par la faute d'un seul » (v. 15) ; « à travers un seul pécheur » (v. 16) ; « par la faute d'un seul homme » (v. 17-18) ; « par la désobéissance d'un seul homme» (v. 19)[6]. Le discours se conclut en revenant, sous le point de vue du don, sur le dispositif péché-mort. Dans la lecture, nous aborderons successivement le principe général du verset 15 et les dimensions diverses où il s'applique.

Un principe de comparaison : l'excès incomparable.

Pas comme la faute, ainsi est le don. Si en effet par la faute d'un seul la multitude (les nombreux) a subi la mort, bien plus la grâce de Dieu et le don dans la grâce d'un seul homme Jésus-Christ furent-ils répandus à profusion pour la multitude (v. 15)[7].

Cet énoncé reprend le dispositif péché-mort et la médiation qu'il opère entre *un seul* et *la multitude (les nombreux)*. On lui compare, selon la règle de l'«excès incomparable» le dispositif du don qui s'établit lui aussi entre *un seul* et *les nombreux*.

Les deux segments ne sont pas symétriques. Du côté de la mort, le processus est référé à «un seul». S'agit-il, selon la lecture habituelle, d'un personnage particulier responsable pour tous les autres? Ne s'agirait-il pas plutôt de ce qui en tout homme fait advenir la singularité-unicité, d'une disposition particulière selon laquelle chaque *un* en l'humanité s'identifie, disposition selon laquelle la multitude est ordonnée à la mort? Du côté du don, le processus est référé à un acteur singulier *nommé* : «un seul homme Jésus-Christ». Il n'y a donc pas de parallèle posé entre Adam et Christ. Dans le second segment, à la différence du premier, tous les acteurs (Jésus-Christ et la multitude) sont *destinataires* du *don*. Le don de la grâce concernerait-il la reconnaissance et la nomination de l'humain singulier? La question peut être posée...

Du péché et du don.

Le texte reprend ensuite la règle qu'il vient de poser : «Pas comme à travers un seul ayant péché, le don» (v. 16) et développe plusieurs dimensions de ces deux dispositifs (v. 16b. 17. 18. 19)

6. Il ne sera plus question d'Adam dans cette seconde section du texte.
7. Pour cette seconde séquence, la traduction proposée ici, peu élégante, tente de respecter au mieux les parallélismes rompus du texte grec.

Le jugement *(krima)* à partir d'un seul va à la sentence de condamnation *(katakrima)*, le don *(charisma)* à partir des nombreuses fautes va à la justification *(dikaiôma)* (v. 16b).

Ici encore les deux segments ne sont pas symétriques : le parcours qui lie le procès et la sentence de condamnation s'appuie sur « un seul », le parcours du don à la justification s'appuie sur la multitude des fautes. On ne peut donc opposer comme contradictoires le dispositif du procès et le dispositif du don, ils ne concernent pas les mêmes réalités... La lecture doit essayer de résister à l'opposition habituelle du jugement et du don (de la loi et de la grâce) et prendre en compte la règle du « si... combien plus » posée au début du chapitre 5.

Procès et sentence s'appliquent à la singularité du sujet, don et justification s'appliquent à la multitude des fautes [8] qui prolifèrent à partir de cette unicité. La sentence *(katakrima)* n'est pas ici une condamnation à mort, elle peut être cette sentence qui dit, qui juge et qui tranche dans le dispositif du péché et de la mort pour qu'un sujet n'y soit plus absorbé, mais trouve place et statut. Le don et la justification sont peut-être ce qui attribue au sujet sa *juste* place, celle qu'il manque à tenir dans la multiplicité des objets qu'il donne à sa quête, celle qui l'ordonne à la vie reçue et non seulement, comme le jugement-sentence, à l'évitement de la mort.

Si par la faute d'un seul la mort a régné à partir d'un seul, bien plus, ceux qui reçoivent l'abondance de la grâce et le don de la justice régneront dans la vie par un seul Jésus-Christ (v. 17).

Notons ici les positions différentes de la *mort* et de la *vie* dans les deux segments de la comparaison. Il n'y a ni symétrie, ni parallélisme dans les fonctions des acteurs.

Dans le premier segment la *mort* est un acteur qui couvre tout le champ : « La mort a régné. » Les assujettis à la mort ont comme disparu, le texte ne les présente pas comme des acteurs particuliers ; ils sont, dirait-on, absorbés par cette mort régnante. Tout se passe comme si ce dispositif péché-mort s'accomplissait dans l'abolition des sujets ; ou dans l'em-

8. Le don advient « à partir » des fautes, comme s'il en venait : *ek pollôn paraptômatôn*. On notera comme le texte distingue : LE péché, la faute et LES fautes.

pêchement de leur naissance : des humains sont venus au monde (v. 12) mais la naissance des sujets ne peut avoir lieu. Entre péché et mort, il n'y a pas d'espace pour un sujet *vivant*. En revanche, dans le second segment, ce sont les sujets qui sont mis en avant ; ayant reçu le don, ils « régneront » ; on ne dit pas sur qui mais où ils régneront : « dans la vie », et en référence à un personnage nommé : Jésus-Christ. La question ici n'est pas celle du pouvoir exercé, mais celle d'un espace pour des acteurs : il y aura un espace pour des sujets vivants. Notons en outre la distinction du passé et du futur autour du présent de l'énonciation, elle jouait déjà dans la première partie du chapitre 5. Tout se passe comme si le dispositif du don autorisait le surgissement de sujets « régnants » là où la mort les avait absorbés dans le dispositif de la faute.

Donc, comme à partir de la faute d'un seul, pour tous les hommes pour la condamnation ; ainsi, à partir de l'œuvre de justice d'un seul, pour tous les hommes, pour la justification-vie (v. 18)[9].

« Donc... » Le discours de Paul semble faire un bilan, une pause, dans le développement ouvert au verset 15 (« pas comme la faute, ainsi le don »). Il s'agit ici de dire les deux orientations, ou les deux directions, qui polarisent l'existence de tout sujet humain : vers la sentence de condamnation, vers la justification. L'opposition entre *condamnation* et *justification* figurait déjà au verset 16, où l'on distinguait les implications du *jugement* et celles du *don*. Ici on remarque du côté de la justification, l'insistance sur la réalité d'une *opération* : dans le dispositif de la grâce, il y a une *œuvre de justice (dikaiôma)* alors que dans le régime de la faute, il y a une chute ou un *détour (paraptôma)*.

À partir de ce verset, il faut donc enregistrer cet élément nouveau. Nous n'avons pas affaire seulement à la comparaison statique de deux dispositifs parallèles, car il y a dans le régime du don de la grâce un acte, ou une *œuvre*, qui détermine la modification de l'ensemble. Mais le texte ne donne aucune description référentielle (ou historique) de cette *œuvre de justice*, il se contente de distinguer – et de faire rimer – du côté de la justice une « œuvre » *(dikaiôma)*, du côté de la faute

9. La traduction n'est pas très lisible ; elle tente de suivre au plus près le texte grec, et de souligner, en particulier, l'absence de verbes dans ce verset.

et de la sentence un «détour» *(paraptôma)* : l'œuvre de justice s'attaquerait-elle réellement à ce que les fautes ne font que signaler en le contournant ?

De même en effet que par la désobéissance du seul homme les nombreux ont été constitués pécheurs ; de même par l'obéissance du seul, les nombreux ont été constitués justes (v. 19)

Le verset 19 propose une interprétation : l'*œuvre de justice* pourrait se trouver signifiée au sein d'une opposition entre *désobéissance* et *obéissance*. Si ces deux attitudes sont relatives à l'*écoute («parakoês – upakoês»)*, elles présupposent un pôle de référence de l'ordre de la parole. Notre texte attribuerait-il une fonction déterminante à la parole dans la constitution du sujet humain singulier ? Notons en effet comment l'attitude décisive du «un seul homme» (désobéissance-obéissance) se trouve articulée au statut dans lequel «tous» sont constitués (pécheurs-justes). Péché et justice ne sont pas des attitudes morales ou des comportements sociaux, mais des *statuts* possibles pour des êtres humains, des statuts relatifs sans doute à la parole, ou plutôt au rapport que chaque *un* entretient avec la parole.

Pour résumer les données des énoncés précédents, retenons qu'ils analysent deux régimes de la condition des humains et de la disposition du sujet, selon le dispositif péché-mort d'une part, selon le régime du don de grâce d'autre part. De part et d'autre il s'agit de l'humanité des humains. Le premier régime est celui de la mort régnante dans laquelle le sujet est absorbé. Si le rapport au péché débouche sur un désir de mort, le sujet singulier n'a d'autre statut possible (pour survivre) que celui de pécheur : la mort est reférée au péché par la médiation de la faute d'un seul homme, et chacun s'en remet au seul jugement (procès et sentence) pour dire, pour savoir, ce qu'il en est de sa propre vérité. On aboutit bien à l'ordre de *la loi* sur lequel portera la suite du discours de l'épître. Tout se passe alors comme si cette dynamique mortifère, ce désir de mort noté par Paul en 5, 12 («par un seul homme le péché est entré dans le monde et avec le péché la mort») se trouvait confié à la loi qui peut en moduler la tension, l'articuler dans un discours et dans l'acte d'un jugement qui permet de conférer un statut à des sujets référés à la loi. Mais le don n'est pas comme la faute, il n'est pas une alternative au régime péché-mort, il opère *dans* ce dispositif même et dans le traitement qu'en fait la loi, il suppose une œuvre de justice réalisée par *un seul* (Jésus-Christ) pour que se réalise un surgissement du sujet («ils régneront dans la vie») et que soit établi un statut de *juste*. La suite du texte va conclure en articulant la loi et la grâce.

De la loi et de la grâce.

La loi s'est introduite pour que la faute se multiplie (se répète) ; là où le péché s'est répété, la grâce a surabondé, afin que de même que le péché a régné dans la mort, ainsi la grâce règne par (le moyen de) la justice pour la vie éternelle par Jésus-Christ notre Seigneur (v. 20).

La grâce n'est pas une alternative à la loi. Le texte de Paul ne juxtapose pas deux «panneaux» parallèles, mais il met en discours une dynamique de la loi et de la grâce. L'œuvre de la grâce accomplit et délimite ce que la loi fait du dispositif péché-mort; car la loi est bien un «traitement» de cela qui advient avec la singularité du sujet avant même qu'un discours ne s'en saisisse («par un seul homme...» 5, 12). Et la grâce opère à partir des effets du traitement par la loi («le péché se multiplie»). Posant des interdits, jugeant de la faute et de ses conséquences, la loi consacre en quelque sorte la fonction médiatrice de celle-ci entre péché et mort et *consigne le sujet dans un statut de pécheur péchant.*

Sans découvrir ce qu'elle occulte – c'est-à-dire la place *réelle* du péché –, la loi provoque la répétition indéfinie du péché et se donne pour mission de régler cette prolifération. La loi œuvre pour (et sur) la répétition du péché. Elle traite *les* péchés dans leur abondante diversité, elle en règle la multiplicité, mais qu'en est-il *du* péché, lié à la singularité du sujet humain et demeurant occulté sous les péchés? La loi et le péché s'entretiennent mutuellement, la mort continue à régner, et la question (l'énigme) du péché n'est pas dévoilée ni réellement traitée. Le don de la grâce opère «là où» le péché se multiplie dans les péchés, là où, pourrait-on dire, le «degré de saturation» est atteint; il ouvre et maintient *ouvert* un espace entre péché et mort, afin que puissent y vivre des sujets *justifiés* par le don de la vie.

On le voit, ces derniers versets reprennent pour les réarticuler, tous les éléments précédemment posés dans le développement du discours. Le don de la grâce n'annule pas le dispositif précédent, il y œuvre comme à rebours, la surabondance du don venant là où opérait la prolifération. À partir de cette finale s'ouvre un chemin d'interprétation dont je tenterai maintenant de poser quelques jalons.

ESSAI D'INTERPRÉTATION

Jusqu'ici, nous avons relevé les figures du discours de Paul et noté les relations par lesquelles elles sont nouées. Cette description a montré qu'aucune de ces figures, en elle-même, ne donnait tout son sens si elle n'est rapportée à l'ensemble du discours qui dessine des parcours entre ces figures.

Il s'agit maintenant de lier toutes ces observations et de rassembler la lecture en une interprétation. Celle-ci n'est pas un décodage point par point des figures du texte, mais plutôt la proposition d'un « point de vue » qui permette d'apercevoir la connexion de l'ensemble ; c'est un travail difficile, et risqué, sur un texte qui nous paraît si obscur... mais c'est peut-être le travail qui convient pour la lecture de ce type de texte. Il faut donc tenter une hypothèse et tester sur le texte sa cohérence.

Supposons donc que le texte de Paul, partant de l'expérience de la réconciliation en Jésus-Christ, tisse point par point la « structure profonde » du sujet humain, et qu'il explore les conditions de possibilité effectives d'un humain singulier, c'est-à-dire susceptible de dire « je », et susceptible d'être articulé à un *signifiant* qui le désigne (en rapport à d'autres signifiants). Si les humains ont ceci de particulier de n'être pas des « cas d'espèce » (individus comptés dans la « nature humaine »), mais des sujets singuliers, à quelles conditions ce sujet peut-il exister comme « un seul », comme « unique » ? Qu'est-ce qui dans la structure de l'humanité commune correspond au fait que les humains soient « un » ?

Faisons l'hypothèse que le texte de Paul s'attaque à ces questions redoutables, et que l'élaboration qu'il propose autour du *péché* pointe vers l'énigme, ou le mystère, de la subjectivité singulière de l'homme[10], et voyons comment les figures de son discours peuvent s'agencer pour dessiner la forme, ou la structure, de cette humanité convoquée par la parole de Dieu.

Pris dans son ensemble, le texte de Paul paraît construire une opposition entre l'économie du péché et l'économie de la grâce. Mais la *forme* de cette opposition est subtile, on ne peut se contenter de la symétrie ou de la contradiction entre deux systèmes de valeurs.

Le texte en effet pose avec le rapport péché-mort une situation « de base », sur laquelle opèrent et la loi et le don de la grâce : péché et mort sont dans l'humain, comme un trait d'humanité inscrit là où l'homme diffère du monde. Tel serait le « postulat » à partir duquel s'organise le développement du discours : partout où il y a de l'homme dans le monde, il y a péché et mort; partout où il y a péché et mort dans le monde, il y a de l'homme... Qu'en est-il donc de la vie pour les humains?

L'interprétation de ce texte s'affronte à quatre questions :

a. Quel est le statut du *péché* et de la *mort* dans la structure de l'humain (singulier et multiple)?

b. Comment le péché et la mort s'articulent-ils dans l'humain, quelle est la règle de leur *couplage*?

c. Comment la grâce opère-t-elle dans ce couplage : opère-t-elle sur le péché, sur la mort, sur leur relation, ou sur ce qu'implique, pour un humain, d'être pris dans ce *couplage*?

d. Dans ce contexte, comment interpréter l'opération accomplie par cet « un seul homme » qui a nom Jésus-Christ?

Rm 5 ne raconte pas l'histoire d'un premier homme et de son rachat par le Christ; il construit à partir de l'état présent des *justes* (Rm 5, 1 : « Étant donc justifiés par la foi, nous sommes en paix avec Dieu par Notre-Seigneur Jésus-Christ... ») les structures d'humanité qui sont présupposées, et dans lesquelles interviennent comme éléments structurants le *péché*, la *mort*, la *loi* et le *don de la grâce* en Jésus-Christ.

10. Ces éléments d'interprétation s'inspirent de propositions de lecture faites par Jean Calloud, Joël Clerget et François Génuyt lors d'une session du Centre Albert-le-Grand (Eveux).

Le péché et la mort : les bornes de l'humain.

Le verset 12 met en place deux situations liées, mais différentes. Dans l'une, l'homme en tant qu'*unique* et *singulier* (un seul homme) est mis en relation avec le *monde*, le *péché*, la *mort*. Dans l'autre, la totalité des humains *(tous)* a affaire avec le péché *(tous ont péché)* et la mort *(passée dans tous)*. Analysons de plus près ces deux situations.

Le verset 12 installe comme premier acteur «un homme». Le texte souligne souvent le caractère *unique* de cet acteur (les traductions parlent d'«un seul homme»). La question n'est pas qu'il soit *solitaire* (seul contre tous) mais qu'il ait ce trait singulier qui le fait «un». C'est par là que commence Rm 5, 12, par l'*unique*. Cette unicité n'est pas due à l'excellence des qualités ou des valeurs, ni à la primauté dans une série chronologique (l'un n'est pas à confondre avec le premier), elle est due à ce que cet humain peut être référé à un *signifiant*, qui le désigne et le distingue par rapport à d'autres[11]. Le *signifiant* (et l'ordre dans lequel il s'inscrit) est la condition de possibilité et de signification de la singularité, mais avec quelles conséquences et que présupposés pour la condition des humains. Autrement dit, qu'en est-il de la condition des humains si c'est ainsi que se marque la singularité du sujet?

Le discours de Paul répond que par cet homme singulier *(dia)*, en tant que tel, «le péché est entré dans le monde et avec le péché la mort», comme si ces deux instances (quasi-acteurs) avaient «profité» de ce qu'il existe un homme pour entrer dans le monde. Le péché et la mort sont dans le monde, du fait que l'humain a partie liée avec eux, parce qu'il est *unique* et parce qu'il est *dans le monde* (venu au monde). Comment décrire cette relation?

On peut suggérer que le péché et la mort, concernent le point d'articulation et de différenciation de l'*humain* et du *monde*. Comment l'humain est-il différent (séparé) du monde dans lequel il se trouve? Partout où il y a (dès qu'il y a) de l'humain (singulier et multiple) dans le monde, il y a péché et

11. Comme Robinson marquait chaque jour singulier d'une entaille dans un morceau de bois : une marque qui ne représente aucune qualité mais qui signale une place dans un ensemble.

mort. Péché et mort signaleraient donc dans l'existence de l'homme que celui-ci est articulé au monde dont il diffère. Pour le dire autrement, les humains ne sont pas des choses du monde auquel ils sont pourtant toujours adossés et ancrés. Le péché puis la mort attesteraient dans l'homme – dans la structure même de son humanité – cette différence cruciale qui fait que l'homme n'est pas une *nature* mais qu'il existe dans une *histoire*. Péché et mort signaleraient ce qu'on peut appeler les *bornes* de l'humain, le point où l'humanité et le réel du monde se joignent et se différencient. En ce point, il y a d'abord le péché, il y a ensuite la mort...

Si l'on admet cette hypothèse, on peut poursuivre l'interprétation de ces figures.

Si le péché signale la *limite* de l'humain du côté du monde, il concerne ce que nous appellerons le *Réel*, c'est-à-dire ce qui fait limite à toute représentation et à tout discours, mais qui est pourtant le *lieu* de l'existence du sujet. Accédant à l'*unicité*, à partir du signifiant, comme on l'a dit plus haut, le sujet humain se détache en quelque sorte du *réel* – parce qu'il est signifié par une marque, par un nom, qui le distingue, il n'est plus dans l'univers des choses, il est atteint par le langage, ou par un ordre symbolique. Dans cette opération qui pose le sujet comme *un*, quelque chose du réel vient à manquer radicalement. Pour le dire autrement, le *signifiant* par où advient l'unicité du sujet délimite (et soustrait) cette « chose » que l'humain n'est plus, qu'il ne peut pas dire (ou symboliser) parce que l'ordre des signifiants est tout autre, mais dont il peut sentir toujours la fascination, comme d'un retour parmi les choses dont il n'est plus en tant qu'unique marqué par le signifiant. Cette *chose* (pour reprendre la terminologie de Jacques Lacan[12]) n'est pas le réel du monde, mais ce qui du réel se trouve circonscrit (soustrait) par le signifiant.

Telle pourrait être la place du *péché*, introduit dans le monde réel (comme la « chose ») du fait du signifiant qui

12. On trouvera l'élaboration de cette notion de *Chose (Das Ding)* dans J. LACAN, *Le Séminaire, VII, L'Éthique de la psychanalyse*, Paris, Éd. du Seuil, 1986, p. 55-102. Voir également Ph. JULIEN, *Le Retour à Freud de Jacques Lacan*, EPEL, Paris, 1990, p. 107-116. Lacan illustre le rapport du signifiant à la chose avec l'image (bien connue) du potier. Le potier donne forme au vide, le pot délimite, circonscrit un vide autour duquel il se construit, telle serait la situation du signifiant et de la *chose*.

marque l'humain comme *un*. La désignation de l'*un homme* laisse dans le réel un vide fascinant autour duquel l'ordre des signifiants s'élabore.

Mais avec le péché vient la mort... Si l'on suit bien le texte de Paul, elle diffère du péché, elle n'en est pas la réplique ou la symétrie (le péché à l'origine et la mort à la fin). Sa fonction dans l'humain semble pourtant bien dépendre de l'inscription initiale du péché («et avec le péché la mort»). Si cette mort-là est un effet du péché, elle doit sans doute différer d'un processus biologique qui marque la fin de la vie (et il y aura toujours risque de confondre ces deux morts) ; la mort relative au péché s'inscrit *au cœur* de tout humain vivant en tant qu'il est *un homme*.

Extrait du réel du monde par le signifiant qui le désigne, l'humain singulier y laisse un *vide*, une part perdue impossible à dire et à symboliser, le *péché*, une «chose» dont la fascination – en deçà de tout sens dit, et de toute représentation du bien ou du mal – produit ce qu'on peut appeler *désir de mort*, tension pour un «retour» aux choses du monde, en deçà de la singularité signifiée. Telle serait l'affirmation première et paradoxale de Paul au verset 12 : dès qu'un humain vient au monde, et qu'il s'en sépare en tant qu'il est signifié comme *un*, il se constitue sur ce *vide* du péché, et il y a en lui ce désir de mort qui peut empêcher la vie d'advenir en vérité et d'être humainement vécue. Dès qu'un humain vient au monde il y apporte le péché et la mort. Et la mort – sous cette modalité particulière – est passée dans tous les hommes : tous en tant qu'ils sont des sujets uniques ont affaire avec ce vide, cette «chose», le *péché*. La formule du concile de Trente s'avère finalement très pertinente, qui parle d'un péché commun à tous et propre à chacun... Pour les humains, l'apparition de l'unique fait naître, avec le sujet, le désir de mort.

Trois dispositifs pour l'être humain.

Parce qu'il a affaire au péché, l'humain est habité d'un désir de mort. Pour désigner cette situation, ou cette disposition du sujet, Paul parle de *règne* : le péché *règne* dans la mort (v. 21) ; la mort *règne* par le péché (v. 14. 17). Ainsi serait dessinée, en Rm 5, la structure fondamentale d'un humain empêché de vivre, ou dont la vie naissante suscite un désir de mort. Le péché paraît alors *proliférer* comme mort dans la vie même, et s'identifier à la naissance de l'homme (plusieurs passages de la Bible l'attestent : « pécheur dès le sein de ma mère », « dans le péché ma mère m'a conçu »). Le point d'où « je » viens se trouve identifié au péché, au mensonge ; et ce point se trouve directement lié à la mort par-dessus toute possiblité de vivre. Si la mort vient faire image pour l'origine, il n'y a plus lieu de vivre, plus de place pour le sujet vivant. À partir de ce *règne* du péché et de la mort, le texte de Paul développe et articule trois dispositifs : la prolifération, la répétition et la surabondance. Le péché prolifère dans les fautes, la loi œuvre pour la répétition du péché, la grâce excède, par sa surabondance, et la prolifération et la répétition.

La prolifération.

Elle correspond au règne du péché et de la mort. Entre les bornes de l'être-homme, il n'y a pas de place pour un « je » ; le sujet est comme absorbé par la fascination du péché et de la mort. Pas de « sens » (d'espace et de direction) pour *vivre*. La vie s'absorbe dans ce qui la produit : la naissance ne renvoie qu'à la mort, la mort atteste le péché. Et cet état de chose ne peut que se répandre (proliférer) dès qu'un humain vient au monde... Telle est peut-être la situation de la *massa damnata* dont parlait Augustin.

Sur la base de ce dispositif proliférant, le texte de Paul articule deux économies ou deux traitements : la *multiplication-répétition* des fautes à partir de la loi, et la *surabondance* du don de la grâce à partir de la multiplication des fautes et de l'œuvre de justice. Ces deux régimes, notons-le, correspondent aux deux axes sur lesquels, dans le texte de Paul se trouve effectivement recatégorisé le « un seul homme » du v. 12 : l'axe Adam-Moïse, et l'axe Adam-« Celui qui devait venir ».

La répétition.

Avec la loi vient l'interdit, le discours, et la représentation. La deuxième partie du texte montre bien comment, par la médiation du *jugement* et de la *condamnation*, du *procès* et de la *sentence*, on peut « rationaliser » le lien entre le péché et la mort. Si la mort est imaginée à la manière d'une sanction pour le péché, elle est *expliquée* par une cause, mais si le péché est aussi une figure de l'origine, il n'y a d'existence humaine que pour la mort et sous la condamnation : entre péché et mort il n'y a pas de place pour un sujet vivant. Expliquera-t-on la mort (et les péchés) de *tous* par l'acte d'un seul personnage (le premier, le responsable, le chef, le prototype...) ? Expliquera-t-on la mort (et les péchés) de chacun par la multitude (la loi commune de nature, le monde pécheur qui nous précède, les solidarités qui nous lient...) ? La loi explique, elle donne raison et à partir de ce péché irreprésentable, il devient possible de se représenter «les fautes». Les péchés sont dicibles et imaginables, articulables dans l'ordre de la loi (et de ses transgressions). On peut ainsi légitimer la relation de la mort au péché (par l'intermédiaire des péchés, des transgressions et du jugement) ; on peut ainsi représenter et légitimer la place d'un sujet humain responsable devant la loi et devant les autres. Mais cette représentation est relative au discours de la loi qui fait référence ; comment peut-elle s'articuler au site *réel* du péché et de la mort ?

La loi fait-elle vivre ? Est-elle la garantie, le répondant du sujet ? Le texte de Paul donne quelques indications.

1. La loi *fait connaître* le péché (et la mort). Elle organise un savoir, une représentation (imaginaire), une cohérence (trangression-jugement-condamnation). Paradoxalement, parce que la loi désigne les péchés et donne à partir d'eux un statut à l'humain (constitué pécheur), elle laisse entendre qu'il pourrait y avoir un humain sans péché et sans mort ; elle fomente ainsi toutes les images d'un état «paradisiaque», et d'un salut imaginaire. Elle occulte la place réelle du péché et de la mort dans l'humain.

2. La loi *multiplie* LE péché[13]. Là où l'on avait le règne (la prolifération) du péché dans la mort – et de la mort dans le péché, là où le désir de mort fait pression sur la vie de l'humain, on aurait maintenant une «démultiplication» (répétition) du péché, avec *les péchés*. Avec la loi, on passe de

13. Par là s'éclaire peut-être la distinction entre LE péché et LES péchés. Si LE péché signale, à l'origine du sujet humain, la borne du réel, il demeure, pour ce sujet, sans image et hors de toute représentation. Mais à ce point sans image se trouvent liés la multiplicité des images que nous fournissent les péchés et les discours qui en parlent, qui les articulent et les «rationalisent».

la tension vers la mort à la répétition (ou à la compulsion) vers ce qui l'évoque. Peut-être *les* péchés sont-ils des *leurres*, des objets imaginaires; produits et répétés du fait de la loi et de son discours, ils masquent la place *réelle* du péché, mais, paradoxalement, par leur répétition ils l'attestent (il doit bien y avoir quelque chose pour que les péchés soit ainsi répétés).

Mais cette multiplication n'est pas purement et simplement négative dans le parcours d'ensemble du discours de Paul; c'est, ne l'oublions pas, le lieu même où peut opérer la grâce... En conjuguant dans un discours, et dans des pratiques, les multiples fautes, la loi dessine et scande un espace (un parcours, une articulation) entre le péché et la mort... Elle évite qu'on cède à la fascination de la *chose* et à la pulsion de mort, et que le *temps de vivre* – ou *du vivre* – ne soit aucunement signifié. La loi ouvre le sujet à la possibilité du désir, mais elle l'institue dans le statut de pécheur.

La surabondance.

Le don de la grâce opère dans le lien du péché et de la mort à partir de la multiplicité (multiplication) des fautes. Il s'oppose ET à la confusion qui abolit l'écart entre péché et mort ET à son remplissage par la multiplication des fautes. Le discours de Paul ne pose pas simplement une alternative (ou bien / ou bien) entre péché et grâce (ou entre loi et grâce), mais il déploie *la dynamique* de l'œuvre de la grâce. La grâce opère comme *don* et comme *surabondance*, comme «débordement» ou comme excès incomparable.

La grâce vise à la constitution (à la naissance) d'un *sujet* pour la vie. Elle introduit le *don* là où la loi édicte la sentence et institue le pécheur. Entre péché et mort, ce don introduit la vie «éternelle» (v. 21). Cette opération s'appelle aussi *justification* : il s'agit pour un sujet d'être *ajusté*, d'avoir sa juste place d'humain vivant, de *régner* (v. 17). Et ce règne des sujets s'oppose ici à d'autres règnes : celui du péché dans la mort, celui de la mort dans le péché.

La grâce *n'est pas l'effacement* des péchés (dont la loi organise la multiplicité), ni l'annulation de la mort (voir Rm 6). J'ai dit comment la loi pouvait paradoxalement produire l'image d'un humain sans péchés et sans mort... La grâce opère, nous dit Paul, à partir de la multiplication-répétition du péché, et il ne faut pas confondre *le* péché et *les* fautes. Nous avons suggéré que *le péché* est ce qui se détache du réel du fait du signifiant où s'indique la singularité du sujet (du « un seul homme »), et qu'il peut correspondre à ce que l'anthropologie lacanienne appelle *la Chose*. Les fautes, quant à elles, sont de l'ordre du *détour (paraptôma)*, et signalent, par certains aspects sur le mode *imaginaire*, cette butée du *réel* indicible. La grâce intervient, dirait-on, lorsqu'il y a *trop* de fautes, une saturation qui ne résout rien, et qui laisse entière (et refoulée) la question humaine *du* péché. Les fautes multipliées, dicibles, représentées en viennent à « boucher » (à occulter) la place *réelle* du péché (et de la vie par le don de la grâce). La grâce intervient pour mettre un terme à cette dérive, à cette prolifération imaginaire des fautes, et pour *nouer* l'articulation du *réel*, de l'*imaginaire* et du *symbolique*, nœud où trouve place un sujet relatif à la parole.

La grâce opère comme un *don*. Et il faut souligner la fonction d'altérité de ce don, d'une *altérité* qui va ici avec la *surabondance*. Le *don* en effet n'est pas à confondre avec l'objet donné ; on peut s'approprier comme un bien l'*objet donné*, le don quant à lui est le *signifiant* qui articule le sujet à l'autre, il atteste l'amour de Dieu (voir 5, 5). S'il s'agit ici de la vie *éternelle*, ce n'est pas dans le sens d'une vie devenue *interminable*, parce qu'on aurait fait « sauter » le verrou de la mort comme fin... C'est au sens d'un rapport à l'autre, d'une justification. La grâce dénoue le couplage péché et mort pour les re-lier sous le mode de l'*être vivant*, et pour ouvrir l'espace (un lieu) pour être juste, c'est-à-dire pour naître d'*en haut*, pour être sujet humain, *vivant mortel* suspendu à ce qui vient « trancher » entre *réel* et *imaginaire*. La grâce ouvre l'espace où un sujet humain peut être déclaré *fils* dans la perte de « la chose », elle est ce don constitutif qui autorise et développe le passage de la *jouissance* au *désir*.

Le don de la grâce opère à partir de *la mort* de Jésus-Christ, désignée comme œuvre de justice (et non à partir d'une puissance divine). Le texte de Paul est difficile à lire... Il me semble que la question est ici celle de la mort humaine de Jésus-Christ et de sa position par rapport au péché et à la loi. Cette mort, mort d'un humain singulier (« un seul homme ») est une mort qui ne doit rien au péché, et qui remet celui-ci à sa place (voir 1 Co 15). Cette mort rompt ainsi le couplage entre péché et mort (le *règne*) pour dégager l'espace du sujet. Cette mort humaine subvertit le discours (mythique) qui pose et désigne la singularité d'un héros messianique ; elle bouscule (et dé-limite) la logique de la loi qui pourtant peut la cerner et la mettre en son discours (voir Ga 3, 13 : « Maudit celui qui pend au bois »). La mort de Jésus-Christ n'est pas redevable du péché, elle n'est pas redevable des fautes imaginaires ; c'est pourrait-on dire une mort *réelle*, à laquelle s'applique réellement le don de la vie. C'est cette mort-là qui fait advenir *dans le champ humain* la justification par la grâce [14].

Le discours de Paul nous conduit au-delà des simples oppositions binaires (le péché-la grâce ; la loi-la grâce) qui en figent habituellement la lecture ; il nous entraîne dans une dynamique où s'articulent plusieurs dispositifs de la vie des humains et de la structure du sujet. Le texte ne comporte pas l'expression « péché originel », il ne raconte pas une première faute commise par Adam aux commencements de l'histoire humaine, mais il pourrait bien nous dire ce qu'il en est, pour chacun des humains (en tant qu'il est *un*), de l'humanité et de son origine. Le don de la vie, fondé dans l'événement de la mort de Jésus-Christ, peut être lu comme cette juste articulation du réel, du symbolique et de l'imaginaire qui fait la place du sujet vivant et mortel appelé à naître de la parole.

Le péché originel n'est sans doute pas une faute dont il faudrait payer la responsabilité (c'est ce que dit la loi quand elle domine dans la multiplication des fautes), mais il peut être, selon ce que nous avons lu du texte de Paul, cette part, ou cette chose, qui se détache du réel, du fait de l'existence d'un humain singulier qui n'est pas un objet du monde. L'humain se constitue autour de cette part de réel avec laquelle il ne peut être confondu, mais qui exerce sur lui une fascination mortelle, et inscrit dans sa structure même un désir de mort. Le péché originel est à la place d'une origine dont aucun vivant ne peut advenir comme fils, une origine confondue avec la mort, une origine qui est en même temps un refus de la parole... La grâce du Christ ne supprime pas cela, de même qu'elle ne supprime pas la mort (que serait un humain sans origine et sans mort ?), au contraire, elle s'y

14. Ces propositions d'interprétation de la mort de Jésus-Christ pourraient être prolongées dans une relecture des théologies de la rédemption.

adosse pour y inscrire la possibilité même de la vie *humaine* (ou de la version humaine de la vie), une vie reçue et signifiée comme un don. Et chaque *un* porte la trace ou la blessure de ce que ce don de la vie n'est pas appropriable comme un bien, et qu'il articule tout sujet vivant à l'altérité de la grâce.

PERSPECTIVES

Après cette série d'exercices de lecture, il est difficile de formuler une « synthèse théologique » ; le champ d'observation est sans doute trop étroit. Mais il est temps de « faire le point ».

« Faire le point », c'est observer où nous a conduits (ou laissés) la lecture que nous avons faite de ces quelques pièces de la tradition ; c'est formuler quelques hypothèses d'interprétation, dégager un point de vue à partir duquel il serait possible d'aborder d'autres textes, qui restent à lire...

Au point où nous en sommes, nous ne pouvons pas dire avec exactitude ce qu'est le péché originel (mais le péché originel est-il, comme une « chose », l'objet d'une exacte description ?). Nous ne pouvons peut-être même pas dire quel est le sens du péché originel, le contenu stable que l'on pourrait saisir, traduire, transposer dans un langage plus « moderne ». Mais peut-être pouvons-nous suggérer comment se dit là quelque chose de radical et d'irremplaçable au sujet de l'homme sauvé par Dieu.

Je ne sais pas ce qu'est le péché originel, mais je fais l'hypothèse que, dans ces textes – aussi rébarbatifs et pessimistes qu'ils puissent paraître – il y a une vérité qui me concerne en tant que sujet humain appelé au salut, une vérité qui reste à entendre et que ma lecture doit laisser venir. C'est à partir d'une telle perspective sur ces textes que je puis me trouver en position de lecteur.

Lecture d'une tradition.

Ne pouvant définir *a priori* ce qu'est le péché originel, le sens de cette expression, j'ai choisi de lire quelques textes qui en parlent, en supposant que le fait d'en parler et la manière d'en parler pouvaient être autrement éclairants qu'une simple définition. Nous sommes ainsi entrés dans la lecture d'une tradition théologique qui est elle-même une tradition... de lecture dont les éléments sont organisés de telle sorte qu'on ne peut pas dire : voici le «texte de base» qui fait référence [1], voilà les «interprétations» qui en ont été faites... et auxquelles nous pouvons ajouter la nôtre.

Le péché originel se lit et la doctrine se lie entre les textes qui l'abordent. Romains 5 fait couple avec Genèse 2-3 sans le citer. Augustin relit le tout en parlant explicitement de péché originel. Le concile de Trente assure le contexte théologique de cet ensemble en déclarant lire très exactement, et selon la tradition de l'Église, le texte de Paul. Par la suite, ce noyau intertextuel est repris, redit, recontextualisé, contesté, comme «tradition de l'Église [2]». On pourrait caractériser cette dynamique, ce mouvement, à partir d'une structure qui articule trois types de discours : le discours biblique (Gn-Rm) ; le discours théologique ; et le discours dogmatique (Trente).

Dans le corpus limité que nous avons étudié, on pouvait reconnaître des éléments représentatifs de ces trois types de discours. Leur structuration intertextuelle appelle quelques observations et quelques réflexions.

Le *discours biblique* est traversé par l'oscillation entre le texte de Genèse 2-3 et le texte de Paul en Romains 5. Il faut, je crois, résister à une confusion fréquente qui fixe la doctrine du péché originel à partir du seul récit de Genèse 2-3, mythe d'origine qui en donnerait une véritable description et dont il suffirait de suivre l'expansion [3]. On oublie simplement que

1. Même si Augustin peut être désigné comme «inventeur» de l'expression, celle-ci ne lui vient que dans la lecture qu'il fait d'autres textes.

2. Voir A.-M. DUBARLE, «Où est la doctrine traditionnelle de l'Église ?», dans *Le Péché originel : perspectives théologiques*, Paris, Éd. du Cerf, 1983, p. 82 s.

3. C'est ce que laisse entendre, me semble-t-il, E. DREWERMANN. Voir *La Peur et la Faute. Psychanalyse et Morale*. t. I, Paris, Éd. du Cerf, 1992.

dans la doctrine du péché originel, le Christ est une « pièce maîtresse » et que c'est à partir de lui seulement qu'il peut être à proprement parler question de péché originel. En s'en tenant à la lecture de Genèse 2-3, on croit tenir un « diagnostic » tel que le péché originel serait suffisamment dévoilé et décrit pour être maintenant traitable. Cette position est finalement gnostique.

Par ailleurs la différence entre Gn 2-3 et Rm 5 ne doit pas conduire à une désarticulation ou à une opposition binaire telle qu'on réserverait à Genèse l'expression du péché et à Rm l'annonce du salut[4]. Ce point de vue qui postule une contradiction (ou bien/ou bien) entre péché et salut soutient parfois l'articulation narrative de certaines théologies de la rédemption où le Christ répare les méfaits du péché.

Il convient plutôt de remarquer que le support biblique de la théologie du péché originel est construit sur une corrélation entre Gn 2-3 et Rm 5. Cet écart suppose que soit reconnue la place d'un lecteur, pour qui a lieu cette corrélation et qui est appelé à en tisser les liens. Rm 5 n'est pas un « commentaire » de Gn 2-3, il n'en dit pas le sens, au point de rendre caduque l'expression vétéro-testamentaire et de se substituer à elle. Mais le lecteur chrétien peut entendre la question du péché originel dans l'articulation des deux textes.

L'écart entre Gn 2-3 et Rm 5 n'est pas sans rappeler la question bien plus vaste du rapport entre l'Ancien Testament et le Nouveau Testament, entre les figures et leur accomplissement. On notera d'ailleurs – pour y revenir plus longuement par la suite – comment le texte de Paul lui-même situe Adam comme « figure » *(tupos)* de « Celui qui doit venir » : s'en tenir à Gn 2-3 pour situer le péché originel, dissocier Gn 2-3 et Rm 5, ne serait-ce pas en rester dans le champ des « figures » alors que le Christ accomplit l'avènement du « réel » que ces figures indiquent (et annoncent) sans pouvoir le représenter. Une hypothèse se dessine alors : le péché originel est « en figure » en Adam, il est « réel » à partir de son abolition dans le don de la grâce de Jésus-Christ.

4. On peut noter d'ailleurs que, dans les lectures chrétiennes les plus anciennes de Gn 2-3, il est fait mention d'un « proto-évangile », d'une annonce du salut en Jésus-Christ, lorsque Yahvé annonce à la femme que sa descendance écrasera la tête du serpent.

Le *discours théologique* – dont Augustin est le paradigme dans notre corpus – systématise la lecture biblique, déploie conceptuellement ses structures thématiques, les articule à d'autres modèles conceptuels, pour que le discours biblique ne soit pas pris seulement et solitairement pour «fable» ou «histoire», mais qu'il demeure texte à lire, modèle d'interprétation [5] à l'œuvre. La théologie lit la Bible (ou devrait le faire...) non pas pour donner ou fixer un sens qui remplace le texte ou s'y substitue, mais pour attester que c'est à lire, qu'un travail de lecture est toujours nécessaire et qu'au-delà des figures bibliques, dans leur agencement même, un univers de signification est à construire. Entre Bible et théologie demeure un écart, qui signale la place du lecteur.

Le *discours dogmatique* (ou magistériel) quant à lui – le concile de Trente en est pour nous le témoignage – travaille cet écart entre Bible et théologie, au risque parfois de l'obturer et d'en bloquer le «jeu». Il y rappelle ce qu'Irénée appelait «la règle de foi». Celle-ci n'est pas (forcément) doctrine officielle ou définition exacte; elle est – ou devrait être – l'orientation d'une lecture qui soit ecclésiale. Le dogme ne dit pas ce qu'il faut penser, il dit plutôt ce qu'il n'est pas possible de dire – d'où la forme des «anathèmes» –; il ne canonise pas un contenu de sens, mais il signale l'horizon ecclésial d'un travail de lecture qui reste toujours à accomplir.

Le dogme n'est pas le «dernier mot» sur la question, il est plutôt un défi, une intimation à lire et à penser ce qu'il articule : qu'est-ce qui est pensable du péché originel à partir des consignes posées [6] par le texte de Trente? Il est en effet intéressant, à mon avis, de se demander à quelles conditions (logiques, anthropologiques et théologiques) cela est pensable, de chercher de quelle position d'humanité il faut faire l'hypothèse pour que les éléments de la définition se tiennent et soient «parlants». Qu'on pense seulement à l'énoncé : «le péché d'Adam [...] un par son origine,

5. Voir I. ALMEIDA et L. PANIER, *Théologie et Narrativité, Sémiotique et Bible*, n° 12, 1978, p. 5-29.

6. On pourrait appliquer ici les hypothèses de Umberto Eco sur la «coopération interprétative». Un texte fournit à son lecteur (lecteur modèle) les conditions de sa lisibilité, il fournit le cadre à partir duquel ce lecteur travaille par un jeu de présuppositions et d'inférences. On peut toujours ne pas respecter ce cadre, mais dans ce cas, dit U. Eco, on utilise le texte on ne l'interprète (on ne le lit) plus. U. ECO, *Lector in Fabula*, Paris, Grasset, 1985; *Les Limites de l'interprétation*, Grasset, 1992.

transmis à tous par propagation et non par imitation, est propre à chacun »; quelles sont les conditions nécessaires à sa lisibilité... ? Si l'on admet, bien sûr, qu'un tel discours manifeste une signification qui reste à décrire. Le dogme oblige à lire et à relire, réservant parfois d'heureuses surprises et des chemins inattendus.

Intertextuelle, la doctrine du péché originel ne peut être identifiée à aucun des discours que nous avons retenus; du point de vue des « genres », elle articule la « fable » (ou mythe), le concept et la confession de foi. Ainsi nous paraît-elle relative à l'acte d'une lecture, au travail et à la place d'un sujet qui lit, et découvre peut-être comment dans cet entrelacs de figures et de discours, il est parlé de lui comme d'un homme sauvé.

C'est ainsi que nous avons pris cette tradition : ne pouvant vérifier son « exactitude » puisque nous ne « savons » pas par une autre source la réalité qu'elle désigne[7], nous avons cherché à « laisser venir » ce qu'elle dit dans la manière dont elle le dit, en supposant qu'il y avait là une parole qui nous concerne, en vérité. Tel est le minimum requis par la « règle de foi ».

Il s'ensuit une forme d'interprétation, ou une allure (pour ne pas dire une éthique) de l'interprétation. Interpréter le péché originel aujourd'hui, ce n'est pas adapter la doctrine (ou ce que nous en avons compris) aux critères actuels, pour trouver de cette notion, un équivalent plausible (acceptable) d'allure psychologique ou socio-économique. Interpréter une œuvre de Beethoven ou de Ravel, ce n'est pas transformer la partition pour la mettre au goût du jour... Interpréter cette tradition, c'est plutôt forger les hypothèses à la fois théologiques et anthropologiques qui soutiennent notre capacité à lire aujourd'hui (avec notre présent, avec tous ce que nous sommes, avec notre horizon de questions et notre « encyclopédie ») ces textes comme des textes nous concernant, parlant de nous très précisément comme de sujets humains atteints par l'altérité de Dieu, par la surabondance de la grâce.

7. Nous sommes souvent tentés de réagir devant ces textes comme Zacharie devant l'annonce de l'Ange : « À quoi le saurai-je ? ». Une question sans réponse et qui rend muet...

La forme d'une doctrine.

Je viens de noter la forme intertextuelle de la doctrine du péché originel, et la nécessité d'un travail de lecture affronté à cette intertextualité. La tâche de lecteur n'est pas de « remettre à plat » les éléments de cette tradition ou d'en déployer linéairement le parcours historique : le ressort, à tout coup, en serait cassé... La tâche du lecteur, le défi aussi, consiste à prendre acte de cette structure « étoilée » afin de voir vers quelle position elle le conduit. C'est là sans doute une des particularités les plus intéressantes d'une lecture sémiotique des textes.

Une disposition linéaire des éléments de la doctrine du péché originel n'est pas impossible ; elle est même assez répandue. Elle consiste souvent à reconstituer les étapes canoniques d'un grand scénario (qu'on peut même appeler « histoire du salut ») où l'on retrouve sans surprise toutes les phases d'une syntaxe narrative largement illustrée dans les contes merveilleux : création, chute, rédemption et conséquences illustrent d'assez près la suite narrative du contrat, du méfait, de l'épreuve principale et de la sanction... [8]. Sans doute la fréquence de cette organisation narrative en théologie atteste-t-elle une articulation logique profonde des contenus qui mériterait qu'on s'y arrête, mais il faut noter qu'aucun des textes que nous avons étudiés ne la reproduit totalement, comme si quelque chose, dans la doctrine même du péché originel, venait briser une logique trop carrément construite sur des oppositions de valeurs (bien-mal, péché-grâce...).

Le « grand récit » de la chute et du salut présente un triple écueil :

a. Il oppose trop fortement Adam et Jésus-Christ, un responsable du péché contre un responsable du salut. Il pose des antinomies, là où les textes que nous avons lus nouent des corrélations subtiles.

b. Il crée un personnage générique : l'« Homme » (ou l'humanité), sujet d'état sur lequel s'inscrivent les transformations

8. La description de cette grammaire narrative doit beaucoup aux travaux de V. Propp, *Morphologie du conte*, édition française aux Éd. du Seuil, coll. « Points », 1970, de A. J. Greimas, *Du sens I*, Paris, Éd. du Seuil, 1970. Voir Groupe d'Entrevernes, *Analyse sémiotique des textes*, Presses Universitaires de Lyon, 1979.

reférées à Adam ou au Christ. Il tend ainsi à confondre la doctrine du péché originel avec une «histoire de l'Homme des origines à nos jours» et à laisser échapper tout ce qui concerne le statut singulier de chaque humain comme sujet. Le grand récit généralise : nous en avons vu quelques traces dans le texte de Vatican II.

c. Il tend à figer dans une relation de cause à effet la différence entre le péché originel «originant» (Adam) et le péché originel «originé» (tout homme naissant). S'il n'est pas difficile d'imaginer, dans un mythe originel, une déviation première dont tous porteraient les effets, il est plus difficile de penser, pour chaque humain un péché «propre à chacun» qui le réfère à son origine. Le «grand récit» apprécie mal la différence entre l'origine et le commencement, entre la référence et la cause.

d. Il transforme la doctrine du péché originel en «histoire», en récit «objectif» racontable à la troisième personne [9] et dont le narrateur est absent. Des textes comme l'épître aux Romains, le décret du concile de Trente et la déclaration de Paul VI résistent à cette objectivation : on y trouve les marques d'une *énonciation*, la place d'un sujet impliqué dans le discours : c'est bien de «nous» qu'il s'agit dans ce discours.

En raison de son caractère intertextuel et structural, la doctrine du péché originel ne peut pas être prise pour un discours théorique (savant) sur «les origines de l'homme» ou sur l'histoire de l'humanité primitive. Elle n'obéit pas à une logique causale et chronologique mais elle parle de ce qui toujours est là et revient quand l'humanité d'un humain est en cause. On n'a sans doute pas cessé de la tirer du côté du discours causal (explication des origines) ou de la rejeter parce qu'elle ressemblait trop à cela, comme rivale de la science; mais, à mon avis, elle a de quoi résister...

De cette logique linéaire (ou causale, ou strictement narrative), il faudrait distinguer une logique «énonciative» ou logique de révélation, dont le modèle se trouverait – pour ce qui nous concerne ici – dans le discours de Paul en Rm 5

9. On peut rappeler ici la distinction apportée par Émile Benvéniste, et devenue classique, entre «récit» et «discours». Le récit est une histoire qui se raconte toute seule, les événements ont lieu entre les personnages en l'absence de tout narrateur. En revanche le discours manifeste des traces linguistiques de l'instance d'énonciation, de celui qui parle.

(un texte dont tous les commentaires soulignent au demeurant – est-ce un hasard? – les ruptures de logique...). Dans cette logique, les figures s'ordonnent à partir de la position du Christ, réarticulant les autres figures (Adam, Moïse, la Loi...), comme événement de structuration d'un dispositif d'institution du sujet humain. Si le Christ concerne en chaque humain l'origine du sujet (ce qui constitue les hommes comme sujets), l'événement christique *travaille* la structure même du sujet, révèle et transforme ses articulations constitutives et en réordonne les figures (figures de l'origine, du commencement, figures de la loi). Indissociablement lié au salut advenu en Christ (et au don de la grâce), le péché originel concerne la façon dont chaque homme, en tant qu'il est «humain» se trouve posé (inscrit) comme sujet singulier dans cette humanité commune. Cela concerne tout humain *naissant* (voir l'insistance de la doctrine du péché originel sur les petits enfants), en deçà, dirait-on de la différence entre hommes et femmes, chaque fois qu'il y a de l'humain (né de l'homme et de la femme) et depuis qu'il y a de l'humain. La grâce du Christ (le don de la grâce) atteint «originairement» l'humanité des humains, chaque humain en ce qui le fonde sujet en humanité. À partir du Christ seulement peut être posé un péché originel «commun à tous et propre à chacun».

Si la grâce du Christ s'applique à ce niveau de profondeur (touchant aux rapports du sujet à son origine, elle opère au-delà de ce que le sujet peut en «savoir»), la doctrine du péché originel déclare (révèle) ce que nous ne savons pas, ce que nous ne pouvons connaître d'un savoir discursif. Comme discours, elle ne décrit pas un état de choses, elle en dresse un *modèle*, une topologie, à partir des figures qu'elle articule. Elle déclare ce qu'il en est du sujet, à son insu, ce qui toujours doit lui être révélé. Une théorie théologale des rapports du sujet humain à son origine concerne les structures inconscientes du sujet[10].

S'il en est ainsi, il est sans doute très difficile (voire impossible?) de définir le péché originel (le péché dans cette version *originelle*) à partir de ce que nous savons ou *pensons savoir* des péchés, que nous définissons habituellement (depuis Abélard

10. Nous avons vu comment Augustin, dans le texte que nous avons lu, situe son propos à ce niveau de pertinence.

semble-t-il) comme des actes volontaires, conscients et responsables. Et il n'est pas très pertinent de rejeter la notion de «péché originel» (ou de la prendre dans un sens seulement *analogique*) parce qu'elle ne correspondrait pas à cette définition... C'est pourtant là un discours assez courant : si le péché originel est attribué à un sujet non responsable (petits enfants ou Adam encore «enfantin»), ce n'est pas un *vrai* péché... Il faudrait remplacer le terme de «péché originel» par une notion mieux adaptée... mais à quoi? On notera que le concile de Trente (canon 4) tient qu'il s'agit là d'un «vrai péché».

Tenons donc qu'il s'agit bien d'un *vrai* péché (peut-être même du seul vrai péché), même si cette expression manque encore pour nous d'un contenu de sens très explicite et voyons s'il ne serait pas possible de parler *des* péchés à partir du système (ou du dispositif) *du* péché originel. La différence entre le singulier et le pluriel est peut-être déjà pertinente. Paul, en Rm 5, distingue bien le péché et les fautes... Augustin cherche, en deçà des actes voulus, une déviance du vouloir (ce qu'il appelle «orgueil»)... Il y a peut-être plus haut que le vouloir (et que la responsabilité qu'on lui associe d'ordinaire) un «péché originel» révélé par la grâce qui l'enlève (et par cet enlèvement même?), un dispositif immanent, dont *les péchés* seraient les manifestations ou les symptômes. Le péché originel n'est pas l'un des péchés, il n'est pas la cause des péchés, mais les péchés dans leur multiplicité indéfinie sont la trace qui signale et occulte (ou masque) tout à la fois, ce qui affecte originairement l'humain dans sa vérité. Mais ce péché originel n'est révélé que dans son enlèvement dans le don de la grâce du Christ qui marque la naissance d'un sujet dans l'humanité.

Le péché originel et la naissance filiale des humains.

Ces préliminaires étant donnés, si l'on admet qu'il est, dans la doctrine du péché originel, question de la vérité du sujet humain, il nous faut tenter de dire, à partir de notre lecture, quelle pourrait être la *place* du péché originel dans la structuration de ce sujet. Il n'est peut-être pas possible de définir exactement ce qu'*est* le péché originel, mais on peut tenter de cerner une *place*, à la fois dans une *structure* où d'autres éléments interviennent, et dans un *parcours* où s'enchaînent des transformations pour la naissance des humains.

Le péché originel s'inscrit dans un parcours où le don de la grâce du Christ fait *événement*. Cette notion d'événement est importante ; elle semble bien correspondre au fait que le péché originel est lui aussi de l'ordre de l'événement (c'est-à-dire de l'inscription d'une histoire). Toute la tradition insiste en effet pour dire de manière parfois compliquée, certes, que le péché originel, s'il affecte la « nature humaine », n'est pas un fait de la nature, ou un trait caractéristique de la nature humaine : la singularité de l'événement vient rompre la continuité de la nature (et l'histoire d'Adam et Ève met en récit cet événement). Mais d'autre part, le texte du concile de Trente – reprenant la tradition anti-pélagienne d'Augustin – souligne que ce péché atteint chacun des humains par propagation et non par imitation. Cela peut paraître contradictoire, mais le couple propagation-imitation, n'est pas équivalent, du point de vue du sens, au couple nature-événement. Il semblerait plutôt que, dans la position soutenue par le concile de Trente, la « propagation » soit une marque d'*altérité* plus que de continuité naturelle, pour autant que ce qui est de l'ordre de la chair vient faire rupture et faille dans ce qui est de l'ordre de l'intention et/ou de l'assentiment de la volonté et de la raison. Peut-être juxtapose-t-on ici deux anthropologies, ou deux dimensions d'une anthropologie, l'une plus centrée sur la « nature » et l'ordre de la génération, l'autre centrée sur la subjectivité et la volonté. Mais des deux côtés finalement, c'est un trait d'altérité qui se manifeste : le don de la grâce vient inscrire un écart dans l'ordre de la génération (et poser dans cet écart la singularité du sujet), la « propagation » charnelle du péché originel vient rappeler au sujet du vouloir (et du savoir) la limite d'altérité qui inscrit l'humanité dans le réel de la chair, et non pas seulement dans les représentations imaginaires ou morales, ou dans les stratégies de la science.

Deux éléments structurants sont à retenir dans ce parcours du sujet :

a. On oppose deux régimes : la *transmission-propagation* et le *don* ; la grâce ne se transmet pas par propagation, ni par imitation, mais par un don signifié au baptême. Ces deux régimes signalent deux ordres de référence pour le sujet humain et pour son identité : *est-il humain par propagation ou par don* ?

La doctrine du péché originel affirme qu'il n'y a pas à proprement parler d'« espèce » humaine[11], mais un « genre humain » (selon la formulation d'Augustin). L'humanité se transmet, mais pas comme un « contenu biologique » ni comme un « code génétique » dans la mesure où aucun humain, comme sujet, ne peut être identifié purement et simplement au produit de la génération (sauf dans ce que Pierre Legendre appelle la « logique bouchère ») ; toutefois il n'y a d'humain qu'inscrit dans la génération où il trouve place et où il fait « hiatus » : telle est l'énigme de la *filiation*. Je fais l'hypothèse que la doctrine du péché originel parle très exactement de cela.

Il y a « genre humain » parce qu'à chaque naissance d'humain, l'humanité est mise en cause si la vérité du sujet, en sa singularité inouïe, en appelle à une autre référence que la reproduction de l'espèce, à une autre « cause » que la conformité aux traits qui font la définition d'une « nature humaine ». Chaque naissance d'humain en appelle à la vie comme don et à une vérité reçue parce qu'entendue d'un autre, à une vérité que l'« espèce » humaine comme telle manque à dire. Ce défaut, ce manque, paraît bien être le « site » du péché originel – commun à tous et propre à chacun – pour un être humain appelé à la vie dans le don de la parole. Nous avons remarqué comment le texte de Paul, en Rm 5, articule le péché et la mort. Le péché est cette part du réel, « la chose », détachée par le signifiant par où le sujet est indiqué, désigné, nommé, comme « un », la mort est cette pulsion qui naît de la fascination du péché, désir de la chose en deçà de l'identité signifiée, en deçà de la parole qui suscite la naissance des humains.

La grâce n'est pas symétrique au péché originel, elle n'est pas le pendant positif comblant un manque : elle est don, mais ce don ne vient pas compenser une perte. On n'est pas dans une logique de compensation et d'équilibrage des objets-valeurs : « là où s'est multiplié le péché, la grâce a *surabondé* ». La doctrine du péché originel n'est pas une comptabilité en double colonne…

La question est plutôt de pouvoir dire comment et où s'articulent en l'homme – sans se confondre – la transmission (des

11. Cette question est abordée, sous un angle un peu différent, par Marie BALMARY, *La Divine Origine. Dieu n'a pas créé l'homme*, Paris, Grasset, 1993.

générations) et le don qui fait vie pour un sujet. Dans le discours de Paul, ce lieu est très précisément celui que tient la loi : la grâce opère (surabonde) à partir de la loi ou à partir du travail que la loi effectue (nécessairement) sur la «prolifération» des générations, ou sur ce qui, dans la prolifération des générations, entretient l'image confuse d'une relation tout à la fois antagoniste et fusionnelle de la mort et de la vie. La loi règle le jeu des engendrements, elle articule la génération humaine, elle scande une différence et un parcours entre la vie et la mort, et elle y pose un sens; mais elle ne donne pas la vie. Elle détourne le désir de mort et l'articule dans la multiplication des fautes et dans la répétition (dé-multiplication) du péché. La grâce ne contredit pas la loi; elle ne s'y substitue pas; mais elle accomplit la loi en posant l'humanité des humains relativement au don de la parole, en posant le sujet humain au point de nouage du réel, de l'imaginaire et du symbolique. Mais ce faisant, elle affecte chacun des trois ordres, et elle laisse sa trace dans la chair des générations, dans le champ de la loi et dans l'image de soi où chacun se représente.

Cette articulation, si elle a quelque pertinence, peut nous permettre de préciser le statut d'Adam et sa fonction signifiante. En Adam se croisent deux axes, ou deux dimensions : a. une position (biologique, pourrait-on dire) dans l'ordre de la génération. Il est le «père» de tous les autres et les textes traditionnels parlent souvent de «nos premiers parents». b. une fonction symbolique. Adam occupe la position du « 1 » dans la série des humains. À cette place (qui ne se confond pas avec son antériorité «biologique»), il n'est pas un (humain) parmi les autres, il est à part, institué ou établi, référé à un ordre symbolique : les textes magistériels soulignent ce fait lorsqu'ils disent qu'Adam est institué par Dieu (*constitutus* selon le concile de Trente) dans un état de justice et de sainteté. L'humanité d'Adam est un fait d'«institution» (le contrat et l'interdit en sont des figures) et pas seulement un fait de nature. Son unicité est relative au signifiant qui le désigne. On peut comprendre alors que si Adam est dit *le premier homme*, cela doit s'entendre et du côté de la génération humaine (et de la chronologie) et du côté de l'institution qui donne au «premier» un statut tel qu'il n'est pas un parmi les autres. En Adam il est question du *commencement* de l'humanité, mais il est aussi question de l'*origine* de l'humain (des humains comme sujets singuliers) et de la référence qui garantit cette origine et qui ne s'identifie pas à Adam.

Ce qui est dit ainsi d'Adam concerne bien sûr le Christ. Avec le Christ la *figure* d'Adam s'*accomplit* (ce qui est *figure* avec Adam trouve en Christ son ancrage réel) comme le dit Rm 5, 14. Mais comment lire cela si l'on ne veut pas, de manière un peu trop « narrative » faire du Christ celui qui répare (dans une mort rédemptrice) les méfaits d'Adam ? Il faut reprendre, me semble-t-il, les traits qui nous ont servi à définir Adam, les deux dimensions constitutives qui se croisent en lui et la place singulière qu'il occupe par rapport à tous les humains. Pour le Christ également la chair et le signifiant, génération et institution (pour reprendre les termes utilisés plus haut) se croisent, comme le montrent assez clairement les récits de la naissance annoncée de Jésus en Luc 1-2 en particulier. Né de Marie, le Christ est bien inscrit dans une humanité charnelle, dans la génération, mais il y fait écart (et l'affecte) en sa singularité comme le dit l'ange de l'Annonciation, et comme le chante Marie dans le *Magnificat* (« toutes les générations me diront bienheureuse » ; Lc 1, 48). Référé à la lignée de « David son père » (Lc 1, 32), le Christ est bien inscrit dans l'ordre des généalogies, mais là aussi sa singularité en appelle à une autre instance à partir de laquelle « il sera appelé Fils du Très-Haut, Fils de Dieu [12] ». On pourrait alors suggérer que c'est par l'incarnation, qui s'accomplit et se réalise en lui, que le Christ accomplit Adam. On peut se rappeler ici comment Augustin, dans le texte que nous avons lu, définit les conditions nécessaires à la fonction médiatrice du Christ (*Manuel*, X, 34) : il les trouve dans l'incarnation du Verbe en Jésus-Christ. « Le Verbe s'est fait chair », c'est ainsi que le Christ « reprend » et accomplit la figure d'Adam. Pour l'un comme pour l'autre, le rapport à la génération est mis en question, du fait de la « primauté » de l'un (humain créé par Dieu, Adam n'est que *père*...), et du fait de la naissance annoncée de l'autre (né de Marie, Jésus est radicalement *fils*).

Dans sa naissance comme dans son mystère pascal de mort et de résurrection, le Christ accomplit l'incarnation de la parole dans la chair d'un corps parlant. Il révèle, dans la chair,

12. Pour une lecture sémiotique et théologique de ces récits, voir L. PANIER, *La Naissance du Fils de Dieu. Sémiotique et Théologie discursive. Lecture de Luc 1-2*, Paris, Éd. du Cerf, 1991.

la place «réelle» du sujet humain. Il révèle, dans la parole reçue d'un Père qui le nomme et l'envoie, la vérité filiale de l'humanité des hommes. Si l'humanité se constitue comme «paternelle» en Adam (et à partir de lui), elle est révélée comme «filiale» dans le Christ et à partir de lui. Pour un humain, la vie est reçue, comme un don de la Parole, qui se donne au point de «dis-paraître» dans la chair d'un corps qui en témoigne.

Le don de la grâce, le don surabondant de la vie reçue de la Parole, révèle et «ôte» le péché originel (et le révèle en l'ôtant). Pour les sujets humains auxquels la doctrine du péché originel s'intéresse en fonction du Christ, l'état de péché est aboli, il a vraiment disparu (comme le souligne le concile de Trente : «déraciné» et pas seulement «rasé».

Parler du péché originel, c'est donc parler de ce qu'*on n'a plus*... sans qu'on puisse dire qu'il s'agit de quelque chose (d'un objet) à quoi la grâce viendrait se substituer dans l'homme. Il y a bien une différence entre deux états, mais il n'y a pas une «double économie[13]», et l'on ne saurait suivre les commentateurs qui suggèrent que le péché originel décrit une «anthropologie-de-l'homme-sans-le-Christ» (à laquelle on pourrait opposer une autre anthropologie). Pour nous le péché originel (enlevé) est un effet (une attestation) du don de la grâce, il est ce qui pour chacun est dévoilé (révélé) comme ayant chuté du fait de la grâce.

Parler du péché originel c'est donc parler de ce qui fut «enlevé». De ce péché, on ne connaît finalement que l'enlèvement et les traces qui en demeurent (en particulier ce que la tradition théologique appelle la «concupiscence»). En ce sens, nous ne «savons» rien du péché originel, nous n'en avons pas de vision «frontale» : il demeure toujours objet de révélation à partir de la grâce du Christ et de la vie reçue comme don; il peut être seulement, dans une vision «latérale», objet d'interprétation à partir des traces qu'en maintient le don de la grâce.

S'il en est ainsi, les représentations que nous nous forgeons de ce péché originel et de cette faute du commencement

13. G. Martelet insiste beaucoup sur ce point dans son ouvrage, *Libre Réponse à un scandale. La Faute originelle, la Souffrance et la Mort*, Paris, Éd. du Cerf, 1986, en particulier p. 39.

apparaissent comme des « souvenirs-écrans ». Il n'est pas alors indispensable de « savoir » quelle fut la faute d'Adam et comment on pourrait la diagnostiquer (pour la condamner, l'excuser, la guérir, l'éviter... ?). Une analyse structurale de la grâce et du péché dans l'homme doit aller au-delà de ces représentations et proposer une topologie (ou structure) du sujet, et non des images mythiques ou des archétypes. La signification et la vérité du mythe sont toujours à construire.

On peut alors revenir à cette formulation traditionnelle de l'« enlèvement du péché [14] ». L'œuvre du Christ est une « ablation », et ce qui « reste » du péché originel, c'est une absence, un vide qui ne s'abolit pas dans la jouissance du désir de mort, mais un vide que la grâce ne comble pas ; la surabondance de la grâce opère ailleurs, elle est surabondance du don. Le péché originel, plutôt que d'être une tache (une souillure) qu'on efface, un vide que l'on comble, ne serait-il pas, tout au contraire, une saturation que l'on creuse, un « opercule » que l'on soulève, pour qu'un sujet humain (répondant de la parole) trouve place dans l'humanité.

De cet « opercule », il est difficile de donner des représentations. Il faut revenir aux textes que nous avons lus, en particulier Rm 5, où Paul analyse un « collage » de la mort à la vie, une confusion imaginaire où la non-maîtrise de l'origine de la vie (le fait que le « un seul homme » ne peut se poser tel de lui-même) est représentée comme mort, et où ce défaut d'image, cette faille ouverte dans une identité close et solitaire, sont comblés, envahis, soit par la fascination d'une abolition du sujet dans la jouissance d'une chose à laquelle il serait (enfin et en fin) identifié (pulsion de mort), soit par les images ou représentations d'une loi sensée maintenir cette ouverture pour la vie du sujet. Et là, il y aurait véritable péché originel, c'est-à-dire une disposition de l'humain qui le ferme à la vie, qu'il refuse de recevoir de la Parole ; une disposition de l'humain qui le laisse « en souffrance » dans l'impossible attente d'une vie qu'il rejette et méconnaît ; une disposition de l'humanité que décrit à sa manière, je pense, l'hymne de Zacharie (Lc 1, 78-79) lorsqu'il parle de « ceux qui sont assis dans les

14. C'est ainsi, on se le rappelle, que Jean-Baptiste désigne la mission de Jésus (Jn 1, 29 : « celui qui enlève le péché du monde »).

ténèbres et à l'ombre de la mort» et que viendra illuminer l'«astre levant[15]». La doctrine du péché originel nous dit que tout humain – chaque fois qu'il y a de l'humain et dès qu'il y a de l'humain – a affaire à cette «ombre de la mort», à cette confusion qui cerne le point originel de chaque «un».

Le péché originel concerne donc ce qui en chaque homme structure l'humanité, pour autant que pour chaque «un», l'unicité est signifiée, posée sous un signifiant qui se détache dans le réel (dans la chair du monde) ce sur quoi s'établit cette humanité singulière. Nous n'en parlerons donc pas en termes de «faute», d'une faute dont le coupable devrait être montré du doigt ou excusé... Remarquons d'ailleurs le peu de place que Paul, en Rm 5 fait à cette «faute» qu'il ne décrit pas. Adam n'est pas la cause du péché originel, il n'est pas un modèle (ni à éviter, ni à suivre), il est «la figure *(tupos)* de Celui qui doit venir».

La figure est en Adam avec tout ce qu'elle porte de promesse pour l'imaginaire; l'accomplissement est en Christ où la figure trouve à s'ancrer dans un réel. De là peut se développer une hypothèse de lecture. Si Adam est figure, cela ne signifie pas qu'il faille le lire (l'interpréter) au sens «figuré» comme une image, un symbole, une parabole de ce qu'est la «faute originelle (c'est pourtant ce que l'on fait lorsque, voulant éviter d'«historiciser» Adam et le récit de la Genèse, on en fait une «parabole», une... fable). Si l'on suit Rm 5, il faut articuler Adam et Christ comme figure et réel, mais pas au sens où Adam serait une image de la réalité du Christ. Le Christ dévoile (fait surgir et advenir) le réel de l'être humain (sa vérité d'être parlant dans la chair); à partir de cet avènement, Adam est une figure qui doit être accomplie dans ce réel (elle n'y trouve pas son sens, son signifié ultime, mais l'«orient» de sa lecture et de son articulation à d'autres figures). En rester à Adam, comme cause du péché, comme responsable, dès le commencement, de la misère humaine, etc. c'est en rester aux figures auxquelles on peut toujours «en rajouter», aux images qui sont là pour voiler le réel dont pourtant elles laissent supposer la place. Adam laisse supposer la place du Christ, il n'en est pas l'image, même inversée.

15. On trouvera une lecture plus détaillée de cette hymne dans L. PANIER, *La Naissance*, p. 211-235.

Adam, figure du commencement et Gn 2, récit d'une faute originelle, ce pourrait bien être de l'imaginaire ou la composante imaginaire du sujet humain qui se figure son origine (et sa culpabilité ?). Mais cette figure n'est telle que parce que, avec le Christ, avec l'événement du don de la grâce, elle peut s'accomplir, et l'image chuter sous la naissance réelle d'un fils qui répond de (et à) la Parole.

Là où l'on racontait un premier « père » responsable pour tous les autres, on aurait, avec le Christ (avec le Verbe incarné), la naissance du Fils. Alors qu'elle était imaginairement referée au « père fautif » (Adam), l'humanité, en Christ, est referée au Fils. Ainsi relue, la doctrine du péché originel ne concerne-t-elle pas la bonne nouvelle de la naissance des fils à partir du Fils, naissance d'une humanité filiale reçue comme un don ? La déviance originaire ne serait-elle pas de « nier toute origine [16] » en s'appropriant le temps du commencement comme seule condition de la vie [17] : si je ne suis pas le maître de ma naissance, la vie m'est comme une mort...

Appropriation imaginaire de la vie en son commencement, refus du don qui fait blessure en la totalisation du vivant, tel pourrait être ce *péché originel*, cette « chose » qui soutient en l'homme le désir de mort, et que dévoile, en lui donnant sa juste place, la grâce surabondante de l'humanité filiale de Jésus-Christ.

16. On lira sur ce point ce qu'écrit M. Bellet dans *Le Dieu pervers*, Paris, Éd. Desclée de Brouwer, 1979, p. 270.

17. La non-maîtrise de l'origine pose plus d'un problème (les débats actuels en bio-éthique en témoignent). Augustin y signalait un symptôme du péché originel : les hommes naissent dans la passion (charnelle), dans la non-maîtrise de la volonté sur la chair. Ces pages font un peu sourire aujourd'hui (comment Adam et Ève auraient-ils procréé s'il n'y avait eu le péché originel ?), mais ne nous conduisent-elles pas en ce lieu où le réel de la chair fait limite à ce qu'on en sait et à ce qu'on en dit et où il faut, pour qu'il naisse, qu'un sujet humain reçoive la Parole qui le nomme.

Table des matières

Théologies

APOLOGIQUE

Apologique vient du mot « apologie » qui signifie « défense, réponse, justification », en un mot plaidoirie dans un procès.

Par-delà les excès de l'apologétique, cette collection veut redonner à la théologie sa verve primitive, le dynamisme de la plaidoirie, où chaque partie marque clairement les enjeux, afin que les discussions autour de la foi ne deviennent pas étrangères au sens « commun ».

Association des catéchistes allemands : *Manuel de la foi*
F. Chavanes : *Albert Camus. « Il faut vivre maintenant »*
F. Dreyfus : *Jésus savait-il qu'il était Dieu ?*
P. Grelot : *Évangiles et tradition apostolique*
P. Grelot : *L'Origine des Évangiles. Controverses avec J. Carmignac*
P. Grelot : *Les Ministères dans le peuple de Dieu*
P. Grelot : *Réponse à Eugen Drewermann*
G. Gutiérrez : *La Libération par la foi. Boire à son propre puits.*
Y. Ledure : *Lectures « chrétiennes » de Nietzsche*
B. de Margerie : *Liberté religieuse et règne du Christ*
M. Novak : *Une éthique économique. Les valeurs de l'économie de marché*
O. Rabut : *Peut-on moderniser le christianisme ?*
J. Rollet : *Le Cardinal Ratzinger et la Théologie contemporaine*
E. Schillebeeckx : *La Politique n'est pas tout*
F. Varone : *Ce Dieu absent qui fait problème*
F. Varone : *Ce Dieu censé aimer la souffrance*
F. Varone : *Ce Dieu Juge qui nous attend*

THÉOLOGIES

AETC : *Cultures et théologies en Europe*
Alberigo (éd.) : *La Chrétienté en débat*
C. Andronikof : *Le Sens de la liturgie*
E. Behr-Sigel : *Le Ministère de la femme dans l'Église*
E. Behr-Sigel : *Le Lieu du cœur*
Ch. A. Bernard : *Théologie spirituelle*
Ch. A. Bernard : *Le Dieu des mystiques*
I. Berten : *Christ pour les pauvres. Dieu à la marge de l'histoire*
B. Bobrinskoy : *Le Mystère de la Trinité*
F. Bœspflug et Y. Labbé : *Assise dix ans après, 1986-1996.*
L. Boff : *François d'Assise. Force et tendresse*
L. Boff : *Je vous salue, Marie. L'Esprit et le féminin*
L. Boff : *Le Notre Père. Une prière de libération intégrale*
M.-É. Boismard : *Faut-il encore parler de résurrection ?*
M.-É. Boismard : *Jésus, un homme de Nazareth*
H. Bourgeois : *Théologie catéchuménale*
L. Bouyer : *Gnôsis. La connaissance de Dieu dans l'Écriture*

L. Bouyer : *Sophia ou le Monde en Dieu*
C. Braaten : *La Théologie luthérienne*
J. Breck : *La Puissance de la Parole. Une introduction à l'herméneutique orthodoxe*
J. Bur : *Le Péché originel. Ce que l'Église a vraiment dit*
R. Cantalamessa : *La Vie dans la seigneurie du Christ*
G. Casalis : *Les Idées justes ne tombent pas du ciel*
O. Celier : *Le Signe du linceul*
D. Cerbelaud : *Écouter Israël. Une théologie chrétienne en dialogue*
Fr. Chavanes : *Albert Camus. Un message d'espoir.*
M. -D. Chenu et al. : *Une école de théologie : le Saulchoir*
Collectif : *Théologies de la libération. Documents et débats*
Collectif : *L'Hommage différé au père Chenu*
Collectif : *La Nouvelle Europe. Défi à l'Église et à la théologie* (Direct. P. Hünermann)
Y. Congar : *Je crois en l'Esprit Saint*
Y. Congar : *Entretiens d'automne*
Y. Corbon : *Liturgie de source*
O. Cullmann : *L'Unité par la diversité*
O. Cullmann : *La Nativité et l'Arbre de Noël*
S. De Baecque : *Vatican II, une espérance neuve. Un précurseur et témoin, le Père Eugène Joly.*
M. Dujarier : *L'Église-Fraternité*
C. Duquoc : *Dieu différent*
C. Duquoc : *Jésus homme libre*
C. Duquoc : *Des Églises provisoires*
A. Durand : *La Cause des pauvres*
F. -X. Durrwell : *L'Eucharistie sacrement pascal*
F. -X. Durrwell : *L'Esprit saint de Dieu*
F. -X. Durrwell : *Le Père. Dieu en son mystère*
J. Elluin : *Quel enfer ?*
M. Fédou : *Les religions selon la foi chrétienne*
R. Gibellini : *Panorama de la théologie du XXᵉ siècle.* Traduction de l'italien par Jacques Mignon.
D. Gonnet : *Dieu aussi connaît la souffrance*
A. Gounelle et F. Vouga : *Après la mort, qu'y a-t-il ?*
P. Grelot : *Église et ministères*
P. Grelot : *La Tradition apostolique. Règle de foi et de vie pour l'Église*
G. Gutiérrez : *Le Dieu de la vie*
G. Gutiérrez : *Job. Parler de Dieu à partir de la souffrance de l'innocent*
G. Gutiérrez : *Dieu ou l'Or des Incas*
J. -P. Jossua : *Lectures en écho. Journal théologique I*
J. -P. Jossua : *L'Écoute et l'Attente. Journal théologique II*
J. -P. Jossua : *La Condition du témoin*
J. -P. Jossua : *La Beauté et la Bonté*
H. Küng : *Garder espoir*
G. Lafon : *Croire, espérer, aimer*
Gh. Lafont : *Imaginer l'Église catholique*
B. Lang : *Drewermann interprète de la Bible*
J. -C. Larchet : *Théologie de la maladie*
J. -C. Larchet : *Thérapeutique des maladies mentales*
N. Leites : *Le Meurtre de Jésus, moyen de salut*
G. Lohfink : *L'Église que voulait Jésus*

H. de Lubac : *Entretien autour de Vatican II*
A. Manaranche : *Le Monothéisme chrétien*
J. -P. Manigne : *Le Maître des signes. La poétique de la foi*
J. -P. Manigne : *Les Figures du temps*
J. -P. Manigne : *L'Église en vue*
G. Martelet : *Libre réponse à un scandale*
J. Meyendorff : *Unité de l'Empire et divisions des chrétiens. L'Église de 450 à 680.*
J. et E. Moltmann : *Dieu, homme et femme*
P. Nellas : *Le Vivant divinisé*
A. Nollan : *Dieu en Afrique du Sud*
M. de Paillerets : *Saint Thomas d'Aquin, frère prêcheur théologien*
L. Panier : *Le Péché originel*
W. Pannenberg : *La Foi des Apôtres. Commentaire du Credo*
H. Paprocki : *La Promesse du Père. L'expérience du Saint Esprit dans l'Église orthodoxe*
R. Parent : *Une Église de baptisés. Pour surmonter l'opposition clercs-laïcs*
R. Parent : *Prêtres et évêques. Le service de la présidence ecclésiale*
J. -P. Prevost : *La Mère de Jésus*
K. Rahner : *Le Courage du théologien*
B. Rey : *Jésus-Christ chemin de notre foi*
B. Rey : *Nous prêchons un Messie crucifié*
J. Rigal : *L'Église, obstacle et chemin vers Dieu*
J. Rigal : *Le Courage de la mission*
J. Rigal : *Préparer l'avenir de l'Église*
J. Rigal : *L'Église en chantier*
E. Schillebeeckx : *Expérience humaine et foi en Jésus-Christ*
E. Schillebeeckx : *Le Ministère dans l'Église*
E. Schillebeeckx : *Plaidoyer pour le peuple de Dieu*
C. von Schönborn : *L'Icône du Christ*
P. Secretan : *Les Tentations du Christ*
J. L. Segundo : *Quel homme, quel monde, quel Dieu ?*
B. Sesboüé : *Pédagogie du Christ*
H. Simon : *Chrétiens dans l'État moderne*
H. Simon : *La Peau de l'âme*
W. Stählin : *Le Mystère de Dieu*
D. Stein : *Lectures psychanalytiques de la Bible*
R. Sublon : *La Lettre ou l'Esprit*
G. Tavard : *La Vision de la Trinité*
P. Ternant : *Le Christ est mort "pour tous"*
J. -M. -R. Tillard : *L'Évêque de Rome*
F. Varone : *Inouïes les voies de la miséricorde*
H. J. Venetz : *C'est ainsi que l'Église a commencé*
M. Viau : *La Nouvelle Théologie pratique*
K. Wojtyla : *La Foi selon saint Jean de la Croix*
Ch. Yannaras : *La Foi vivante de l'Église*

THÉOLOGIES BIBLIQUES

J. Becker : *Paul. L'apôtre des nations*
A. Wénin : *L'Homme biblique*
O. Cullmann : *La Prière dans le Nouveau Testament. Essai de réponse à des questions contemporaines*

*Cet ouvrage a été composé
dans les ateliers d'Infoprint.
Reproduit et achevé d'imprimer
en novembre 1996
par l'Imprimerie Floch
53100 – Mayenne.*

Dépôt légal : novembre 1996.
N° d'imprimeur : 40487.
N° d'éditeur : 10236.
Imprimé en France.